초등 수학 전문가가 만든 연산 교재

원리셈

1학년 **5**

• 세 수의 덧셈과 뺄셈 •

지은이의 말

수학은 원리로부터

수학은 구체물의 관계를 숫자와 기호의 약속으로 나타내는 추상적인 학문입니다. 이 점이 아이들이 수학을 어려워하는 가장 큰 이유입니다. 이러한 수학은 제대로 된 이해를 동반할 때 비로소 힘을 발휘할 수 있습니다. 수학은 어느 단계에서나 원리가 가장 중요합니다.

수학 교육의 변화

답을 내는 방법만 알아도 되는 수학 교육의 시대는 지나고 있습니다. 연산도 한 가지 방법만 반복 연습하기 보다 다양한 풀이 방법이 중요합니다. 교과서는 왜 그렇게 해야 하는지 가르쳐 주고 다양한 방법을 생각하도록 하지만, 학생들은 단순하게 반복되는 연습에 원리는 잊어버리고 기계적으로 답을 내다보니 응용된 내용의 이해가 부족합니다.

연산 학습은 꾸준히

유초등 학습 단계에 따라 4권~6권의 구성으로 매일 10분씩 꾸준히 공부할 수 있습니다. 원리와 다양한 방법의 학습은 그림과 함께 재미있게, 연습은 다양하게 진행하되 마무리는 집중하여 진행하도록 했습니다. 부담 없는 하루 학습량으로 꾸준히 공부하다 보면 어느새 연산 실력이 부쩍 늘어난 것을 알 수 있습니다.

개정판 원리셈은

동영상 강의 확대/초등 고학년 원리 학습 과정 강화 등으로 교과 과정을 완벽하게 대비할 수 있도록 원리와 개념, 계산 방법을 학습합니다. 단계별 원리 학습은 물론이고 연습도 강화했습니다.

학부모님들의 연산 학습에 대한 고민이 원리셈으로 해결되었으면 하는 바람입니다.

지은이 천종현

원리셈의 특징

☑ **원리셈의 학습 구성**

한 권의 책은 매일 10분 / 매주 5일 / 6주 학습

☑ **원리셈의 시나브로 강해지는 학습 알고리즘**

초등 원리셈은

시작은 원리의 이해로부터, 마무리는 충분한 연습과 성취도 확인까지

☑ **체계적인 학습 구성**

쉽게 이해하고 스스로 공부!
실수가 많은 부분은 별도로 확인하고 연습!
주제에 따라 실전을 위한 확장적 사고가 필요한 내용까지!
원리로 시작되는 단계별 학습으로 곱셈구구마저 저절로 외워진다고 느끼도록!

원리셈 전체 단계

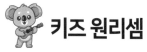 **키즈 원리셈**

5·6세		6·7세		7·8세	
1권	5까지의 수	1권	10까지의 더하기 빼기 1	1권	7까지의 모으기와 가르기
2권	10까지의 수	2권	10까지의 더하기 빼기 2	2권	9까지의 모으기와 가르기
3권	10까지의 수 세어 쓰기	3권	10까지의 더하기 빼기 3	3권	덧셈과 뺄셈
4권	모아 세기	4권	20까지의 더하기 빼기 1	4권	10 가르기와 모으기
5권	빼어 세기	5권	20까지의 더하기 빼기 2	5권	10 만들어 더하기
6권	크기 비교와 여러 가지 세기	6권	20까지의 더하기 빼기 3	6권	10 만들어 빼기

 초등 원리셈

1학년		2학년		3학년	
1권	받아올림/ 내림 없는 두 자리 수 덧셈, 뺄셈	1권	두 자리 수 덧셈	1권	세 자리 수의 덧셈과 뺄셈
2권	덧셈구구	2권	두 자리 수 뺄셈	2권	(두/세 자리 수)×(한 자리 수)
3권	뺄셈구구	3권	세 수의 덧셈과 뺄셈	3권	(두/세 자리 수)×(두 자리 수)
4권	□ 구하기	4권	곱셈	4권	(두/세 자리 수)÷(한 자리 수)
5권	세 수의 덧셈과 뺄셈	5권	곱셈구구	5권	곱셈과 나눗셈의 관계
6권	(두 자리 수)±(한 자리 수)	6권	나눗셈	6권	분수

4학년		5학년		6학년	
1권	큰 수의 곱셈	1권	혼합 계산	1권	분수의 나눗셈
2권	큰 수의 나눗셈	2권	약수와 배수	2권	소수의 나눗셈
3권	분모가 같은 분수의 덧셈과 뺄셈	3권	분모가 다른 분수의 덧셈과 뺄셈	3권	비와 비율
4권	소수의 덧셈과 뺄셈	4권	분수와 소수의 곱셈	4권	비례식과 비례배분

초등 원리셈의 단계별 학습 목표

원리와 연습을 모두 잡는 원리셈!!

학년별 학습 목표와 다른 책에서는 만나기 힘든 특별한 내용을 확인해 보세요.

◉ 1학년 원리셈
모든 연산 과정 중 실수가 가장 많은 덧셈, 뺄셈의 집중 연습
여러 가지 계산 방법 알기
덧셈, 뺄셈의 관계를 이용한 '□ 구하기'의 이해

◉ 2학년 원리셈
두 자리 덧셈, 뺄셈의 여러 가지 계산 방법의 숙지와 이해
곱셈 개념을 폭넓게 이해하고, 곱셈구구를 힘들지 않게 외울 수 있는 구성
나눗셈은 3학년 교과의 내용이지만 곱셈구구를 외우는 것을 도우면서 곱셈구구의 범위에서 개념 위주 학습

◉ 3학년 원리셈
기본 연산은 정확한 이해와 충분한 연습
곱셈, 나눗셈의 관계를 이용한 '□ 구하기'의 이해
분수는 학생들이 어려워 하는 부분을 중점적으로 이해하고, 연습하도록 구성

◉ 4학년 원리셈
작은 수의 곱셈, 나눗셈 방법을 확장하여 이해하는 큰 수의 곱셈, 나눗셈
교과서에는 나오지 않는 실전적 연산을 포함
많이 틀리는 내용은 별도 집중학습

◉ 5학년 원리셈
연산은 개념과 유형에 따라 단계적으로 학습 후 충분한 연습
약수와 배수는 기본기를 단단하게 할 수 있는 체계적인 구성

◉ 6학년 원리셈
분수와 소수의 나눗셈은 원리를 단순화하여 이해
비의 개념을 확장하여 문장제 문제 등에서 만나는 비례 관계의 이해와 적용
비와 비례식은 중등 수학을 대비하는 의미도 포함. 강추 교재!!

1학년 구성과 특징

1권은 받아올림, 받아내림 없는 두 자리 덧셈, 뺄셈을 공부하고, 2권~5권은 한 자리 덧셈, 뺄셈의 체계적 연습으로 세 수의 덧셈, 뺄셈과 □ 구하기를 포함합니다. 6권에서 두 자리와 한 자리의 덧셈, 뺄셈으로 확장하여 공부합니다.

원리

수 모형, 동전 등을 이용하여 원리를 직관적으로 이해하고 쉽게 공부할 수 있도록 하였습니다.

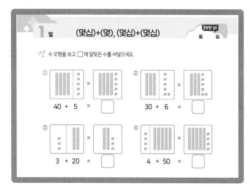

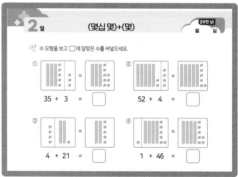

다양한 계산 방법

다양한 계산 방법을 공부함으로써 수를 다루는 감각을 키우고, 상황에 따라 더 정확하고 빠른 계산을 할 수 있도록 하였습니다.

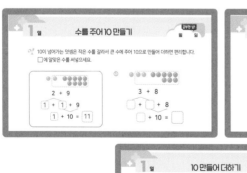

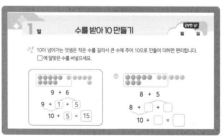

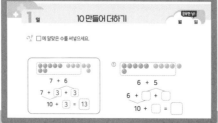

연습

기본 연습 문제를 중심으로 여러 형태의 문제로 지루하지 않게 반복하여 연습할 수 있도록 구성하였습니다.

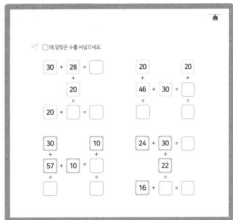

도전! 계산왕

주제가 구분되는 두 개의 단원은 정확성과 빠른 계산을 위한 집중 연습으로 주제를 마무리 합니다.

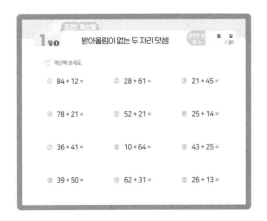

성취도 평가

개념의 이해와 연산의 수행에 부족한 부분은 없는지 성취도 평가를 통해 확인합니다.

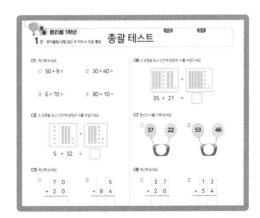

원리셈 100% 활용하기

☑️ 책의 사이사이에 학생의 학습을 돕기 위한 저자의 내용을 잘 이용하세요.

📖 단원의 학습 내용과 방향

한 주차가 시작되는 쪽의 아래에 그 단원의 학습 내용과 어떤 방향으로 공부하는지를 설명해 놓았습니다.
학부모님이나 학생이 단원을 시작하기 전에 가볍게 읽어 보고 공부하도록 해 주세요.

📚 이해를 돕는 저자의 동영상 강의

처음 접하는 원리/개념과 연산 방법의 이해를 돕기 위한 동영상 강의가 있으니 이해가 어려운 내용은 QR코드를 이용하여 편리하게 동영상 강의를 보고, 공부하도록 하세요.

 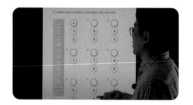

📝 학습 Tip   간략한 도움글은 각 쪽의 아래에 있습니다.

✏️ 천종현수학연구소 네이버 카페와 홈페이지를 활용하세요.

카페와 홈페이지에는 추가 문제 자료가 있고, 연산 외에서 수학 학습에 어려움을 상담 받을 수 있습니다.

네이버에서 천종현수학연구소를 검색하세요.

• **1**주차 •
세 수의 덧셈

세 수의 덧셈을 공부합니다. 세 수의 덧셈은 앞에서부터 차례로 계산하는 것이 가장 기본적인 방법입니다. 덧셈의 연습이 많이 되는 내용입니다. 수에 따라 순서를 바꾸어 더하는 덧셈은 5주차에 별도로 공부합니다.

더하고 더하기

□에 알맞은 수를 써넣으세요.

①

$$5 + 7 + 4 = \boxed{}$$

②

$$8 + 5 + 6 = \boxed{}$$

③

$$4 + 6 + 9 = \boxed{}$$

④

$$2 + 9 + 3 = \boxed{}$$

⑤

$$3 + 5 + 7 = \boxed{}$$

⑥

$$6 + 6 + 3 = \boxed{}$$

⑦

$$9 + 7 + 2 = \boxed{}$$

⑧

$$4 + 8 + 5 = \boxed{}$$

⚐ 계산해 보세요.

① 3 + 8 + 5 =

② 6 + 2 + 9 =

③ 7 + 4 + 6 =

④ 3 + 1 + 8 =

⑤ 6 + 1 + 8 =

⑥ 6 + 5 + 7 =

⑦ 4 + 7 + 5 =

⑧ 2 + 9 + 5 =

⑨ 3 + 3 + 8 =

⑩ 4 + 5 + 9 =

⑪ 9 + 5 + 3 =

⑫ 7 + 7 + 5 =

⑬ 3 + 6 + 9 =

⑭ 5 + 3 + 7 =

⑮ 4 + 7 + 3 =

⑯ 5 + 8 + 5 =

차례로 더하기

세 수의 덧셈을 앞에서부터 차례로 계산해 보세요.

① 7 + 5 + 3
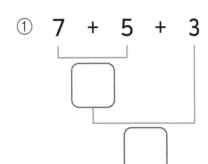

② 6 + 4 + 6
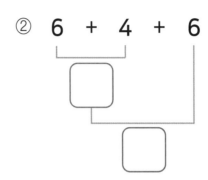

③ 3 + 9 + 4
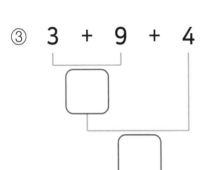

④ 2 + 1 + 9
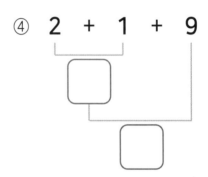

⑤ 6 + 9 + 3
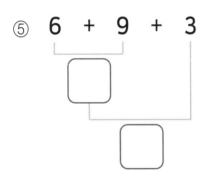

⑥ 8 + 8 + 2
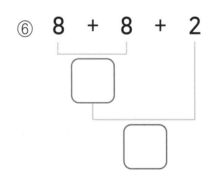

⑦ 4 + 8 + 3

⑧ 6 + 9 + 1
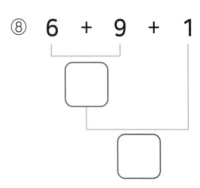

💡 계산해 보세요.

① $3 + 8 + 5 =$

② $4 + 9 + 5 =$

③ $9 + 9 + 1 =$

④ $2 + 7 + 3 =$

⑤ $6 + 8 + 4 =$

⑥ $3 + 7 + 7 =$

⑦ $5 + 5 + 6 =$

⑧ $2 + 9 + 7 =$

⑨ $2 + 6 + 7 =$

⑩ $1 + 8 + 3 =$

⑪ $3 + 2 + 7 =$

⑫ $7 + 2 + 8 =$

⑬ $5 + 1 + 5 =$

⑭ $5 + 3 + 6 =$

⑮ $6 + 3 + 7 =$

⑯ $8 + 3 + 4 =$

가장 긴 막대의 길이를 써넣으세요.

① 1 5 9

② 2 1 7

③ 6 9 3

④ 5 4 7

⑤ 8 3 3

⑥ 9 4 1

⑦ 2 7 4

⑧ 7 2 3

⑨ 6 9 1

⑩ 7 4 7

⑪ 9 3 4

⑫ 6 1 8

사다리셈

🔔 사다리를 타면서 계산하여 빈 곳에 알맞은 수를 써넣으세요.

①
3   8   4

+8
+4
+3

②
9   4   5

+5
+3
+6

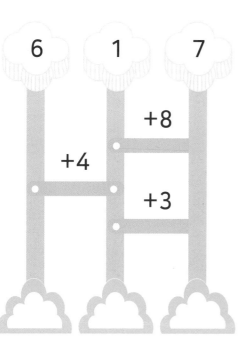

③
6   1   7

+8
+4
+3

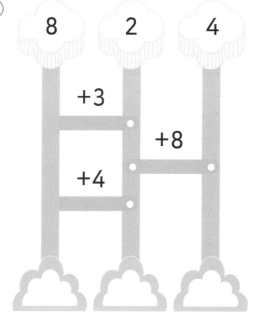

④
8   2   4

+3
+8
+4

사다리를 타면서 계산하여 빈 곳에 알맞은 수를 써넣으세요.

①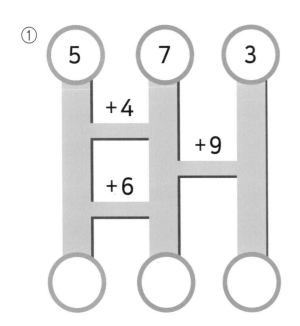

②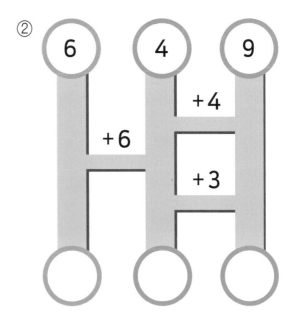

③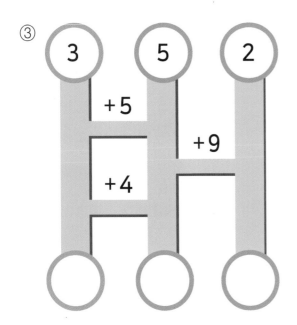

④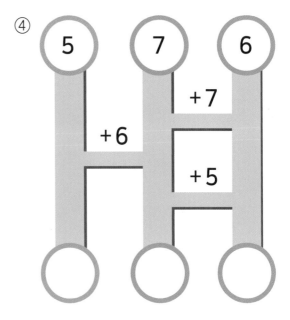

계산 결과를 이어서 사다리셈을 완성해 보세요.

①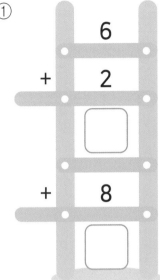

②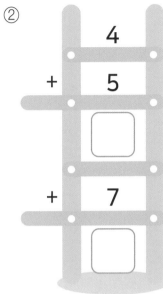

③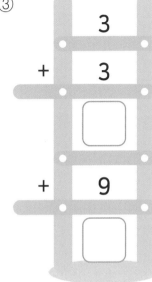

④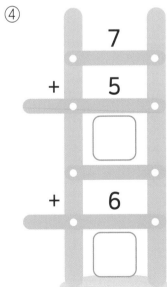

⑤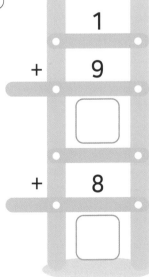

⑥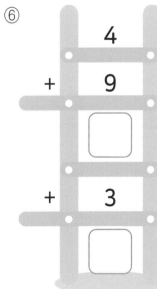

연산 퍼즐

세 수의 합이 가운데 수가 되는 꽃잎을 모두 색칠해 보세요.

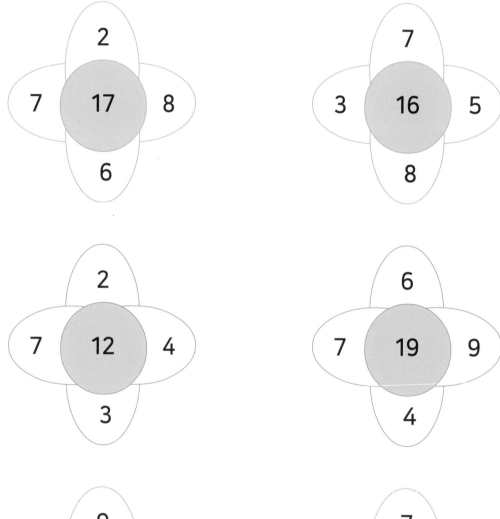

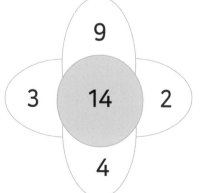

합이 ☐ 안의 수가 되는 △ 안의 수 3개를 색칠하세요.

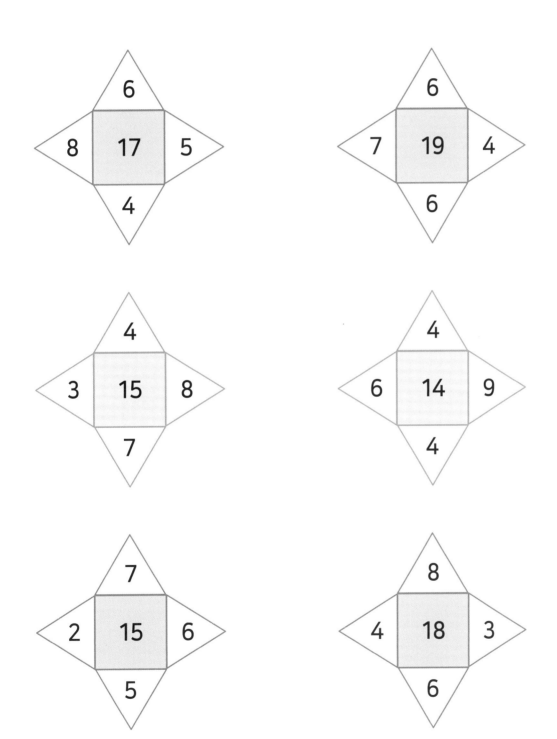

길 위의 수의 합이 집의 수가 되는 길을 그려 보세요.

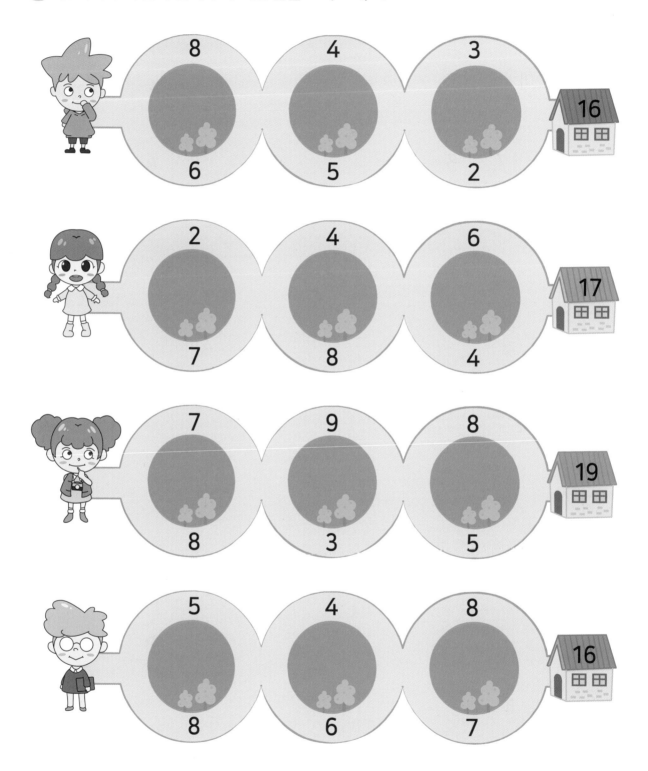

문장제

글과 그림을 보고 알맞은 식을 세우고 답을 구하세요.

친구들이 집에 놀러 왔습니다. 어머니께서는 볶음밥을 해 주시기 위해 당근 6개, 양파 4개, 오이 5개, 고추 3개를 준비하셨습니다.

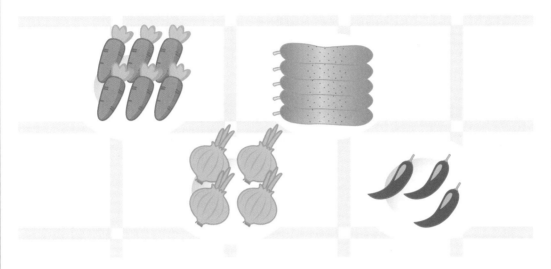

★ 어머니께서 준비하신 재료들 중 당근, 양파, 오이는 모두 몇 개일까요?

식 : 6 + 4 + 5 = 15   답 :   15   개

① 어머니께서 준비하신 재료들 중 양파, 오이, 고추는 모두 몇 개일까요?

식 : _____   답 : _____ 개

 문제를 읽고 알맞은 식과 답을 써 보세요.

① 민수는 학교에서 친구 3명에게 사탕 5개, 껌 3개, 초콜릿 7개를 받았습니다. 민수가 받은 사탕, 껌, 초콜릿은 모두 몇 개일까요?

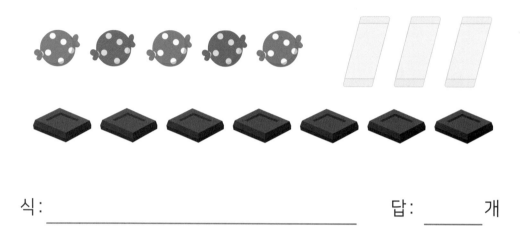

식 : _____   답 : _____ 개

② 희경이의 집에 있는 서랍을 열어 보니 바지가 7개, 티셔츠가 4개, 남방이 6개 있었습니다. 서랍에 있는 바지, 티셔츠, 남방은 모두 몇 개일까요?

식 : _____   답 : _____ 개

🎵 문제를 읽고 알맞은 식과 답을 써 보세요.

① 혜영이가 집에 있는 아버지 넥타이를 찾아보았더니 빨간색 넥타이가 6개, 파란색 넥타이가 7개, 줄무늬 넥타이가 3개 있었습니다. 혜영이네 집에 있는 넥타이는 모두 몇 개일까요?

식 : _____   답 : _____ 개

② 민성이는 아침에 3컵, 점심에 5컵, 저녁에 3컵의 물을 마셨습니다. 민성이가 하루 동안 마신 물은 몇 컵일까요?

식 : _____   답 : _____ 컵

③ 영주는 부모님과 가족 여행을 가서 아버지 사진을 8장, 어머니 사진을 5장, 동생 사진을 4장 찍어 주었습니다. 영주가 찍은 사진은 모두 몇 장일까요?

식 : _____   답 : _____ 장

문제를 읽고 알맞은 식과 답을 써 보세요.

① 상호는 친구들과 분식점에 가서 떡볶이 5인분, 튀김 6인분, 순대 2인분을 시켰습니다. 분식점에서 시킨 분식은 모두 몇 인분일까요?

식 : _____   답 : _____ 인분

② 학교 체육관에 야구공이 9개, 테니스공이 5개, 핸드볼공이 3개 있었습니다. 체육관에 있는 야구공, 테니스공, 핸드볼공은 모두 몇 개일까요?

식 : _____   답 : _____ 개

③ 나뭇가지에 제비 5마리가 있었는데 잠시 후 4마리와 7마리의 제비가 더 날아와 나뭇가지에 앉았습니다. 나뭇가지에 앉은 제비는 모두 몇 마리일까요?

식 : _____   답 : _____ 마리

• **2**주차 •
세 수의 뺄셈

십몇에서 한 자리 수를 두 번 빼는 세 수의 뺄셈을 공부합니다. 덧셈과 마찬가지로 세 수의 뺄셈도 앞에서부터 차례로 계산하는 것이 기본적인 방법입니다. 뺄셈의 연습이 많이 되는 내용입니다. 수에 따라 순서를 바꾸어 더하는 뺄셈은 5주차에 별도로 공부합니다.

빼고 빼기

□에 알맞은 수를 써넣으세요.

① 15 − 7 − 4 = □

② 13 − 6 − 5 = □

③ 18 − 3 − 9 = □

④ 14 − 5 − 6 = □

⑤ 12 − 5 − 5 = □

⑥ 16 − 8 − 2 = □

⑦ 14 − 6 − 4 = □

⑧ 15 − 3 − 7 = □

계산해 보세요.

① $11 - 4 - 3 =$

② $14 - 7 - 6 =$

③ $15 - 8 - 2 =$

④ $17 - 5 - 6 =$

⑤ $16 - 4 - 9 =$

⑥ $13 - 2 - 6 =$

⑦ $17 - 3 - 8 =$

⑧ $12 - 8 - 3 =$

⑨ $19 - 9 - 6 =$

⑩ $15 - 6 - 3 =$

⑪ $16 - 8 - 5 =$

⑫ $14 - 9 - 1 =$

⑬ $12 - 7 - 1 =$

⑭ $13 - 9 - 1 =$

⑮ $18 - 9 - 3 =$

⑯ $13 - 5 - 4 =$

차례로 빼기

🐌 세 수의 뺄셈을 앞에서부터 차례로 계산해 보세요.

① 12 − 7 − 2
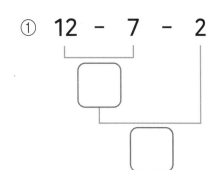

② 14 − 8 − 3
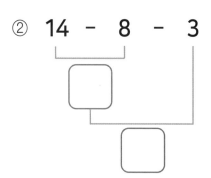

③ 11 − 3 − 5
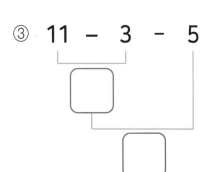

④ 12 − 5 − 6
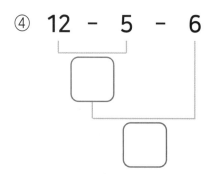

⑤ 14 − 3 − 6
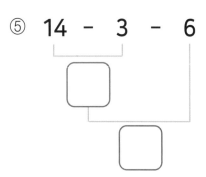

⑥ 11 − 7 − 2
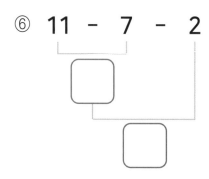

⑦ 17 − 9 − 4
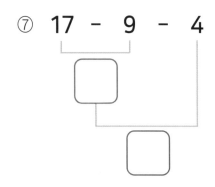

⑧ 16 − 7 − 4
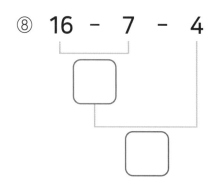

😃 계산해 보세요.

① $15 - 6 - 1 =$ ② $11 - 7 - 2 =$

③ $14 - 5 - 4 =$ ④ $19 - 8 - 7 =$

⑤ $18 - 1 - 9 =$ ⑥ $14 - 3 - 8 =$

⑦ $11 - 6 - 3 =$ ⑧ $16 - 6 - 4 =$

⑨ $12 - 7 - 1 =$ ⑩ $19 - 4 - 6 =$

⑪ $13 - 7 - 3 =$ ⑫ $11 - 2 - 2 =$

⑬ $14 - 5 - 5 =$ ⑭ $18 - 3 - 6 =$

⑮ $17 - 5 - 8 =$ ⑯ $14 - 3 - 9 =$

🐰 □에 알맞은 수를 써넣으세요.

①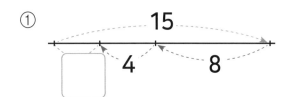

②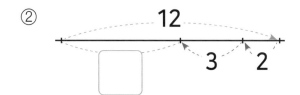

③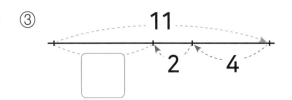

④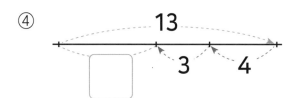

⑤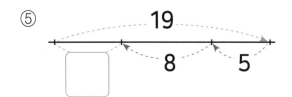

⑥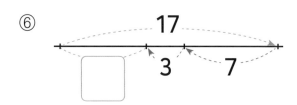

⑦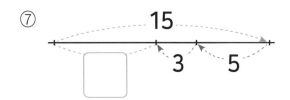

⑧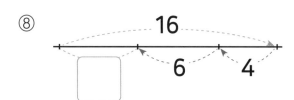

⑨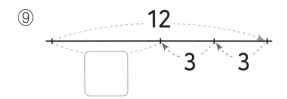

⑩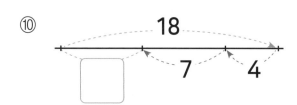

사다리셈

사다리를 타면서 계산하여 빈 곳에 알맞은 수를 써넣으세요.

①

14   16   13

−5

−8

−4

②

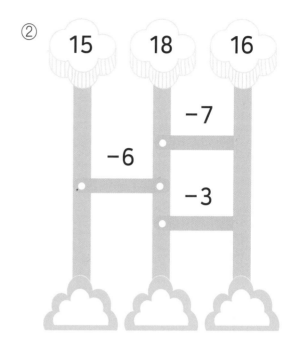

15   18   16

−7

−6

−3

③

15   17   14

−9

−2

−6

④

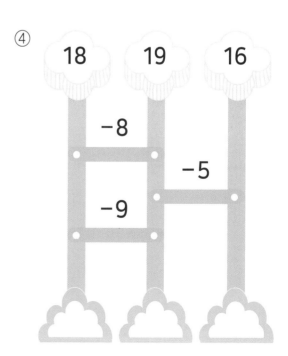

18   19   16

−8

−5

−9

사다리를 타면서 계산하여 빈 곳에 알맞은 수를 써넣으세요.

①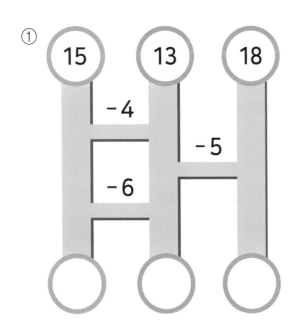

②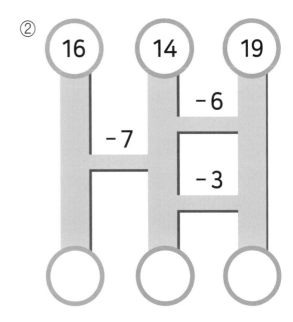

③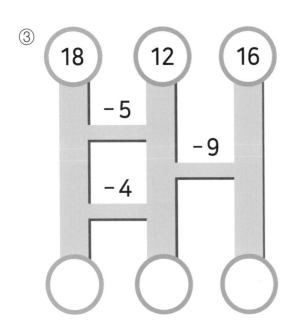

④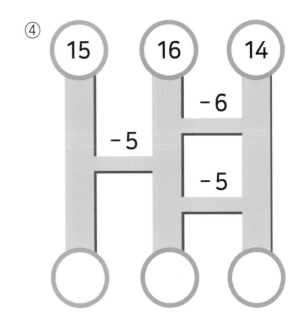

계산 결과를 이어서 사다리셈을 완성해 보세요.

①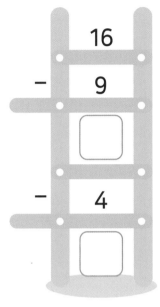

16
− 9
− 4

②

13
− 8
− 3

③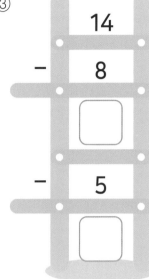

14
− 8
− 5

④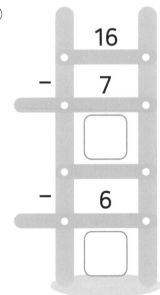

16
− 7
− 6

⑤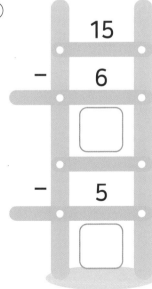

15
− 6
− 5

⑥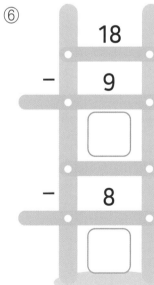

18
− 9
− 8

숫자 카드 중 2장을 골라 뺄셈식을 완성하세요.

①
| 4 | 6 | 5 |

14 − ☐ − ☐ = 4

②
| 6 | 4 | 3 |

15 − ☐ − ☐ = 6

③
| 7 | 8 | 5 |

16 − ☐ − ☐ = 3

④
| 3 | 5 | 3 |

11 − ☐ − ☐ = 5

⑤
| 7 | 4 | 9 |

17 − ☐ − ☐ = 1

⑥
| 8 | 6 | 1 |

11 − ☐ − ☐ = 4

⑦
| 9 | 6 | 7 |

15 − ☐ − ☐ = 2

⑧
| 5 | 9 | 6 |

14 − ☐ − ☐ = 3

숫자 카드 중 2장을 골라 뺄셈식을 완성하세요.

① 　7　　6　　4

14 − ☐ − ☐ = 3

② 　8　　5　　4

16 − ☐ − ☐ = 7

③ 　6　　7　　5

13 − ☐ − ☐ = 2

④ 　3　　5　　6

15 − ☐ − ☐ = 4

⑤ 　9　　2　　4

12 − ☐ − ☐ = 6

⑥ 　5　　3　　3

11 − ☐ − ☐ = 5

⑦ 　6　　8　　3

16 − ☐ − ☐ = 7

⑧ 　5　　3　　7

14 − ☐ − ☐ = 6

🐌 계산 결과에 알맞게 길을 그려 보세요.

15 −4 −5 = 4
    −3 −7

11 −4 −6 = 2
    −2 −7

12 −3 −2 = 6
    −5 −1

18 −2 −6 = 8
    −4 −5

16 −7 −3 = 7
    −5 −2

19 −9 −6 = 4
    −8 −4

13 −8 −3 = 1
    −5 −4

17 −8 −5 = 6
    −7 −3

문장제

글과 그림을 보고 질문에 알맞은 식을 세우고 답을 구하세요.

윤서와 소현이가 숫자 카드로 게임을 합니다. 한 사람당 두 장씩 뽑아서 나온
두 수를 18에서 뺐을 때 정답을 먼저 말하는 사람이 이기게 됩니다.

0	1	2	3	4	5

6	7	8	9

★ 윤서는 7과 9를 뽑았습니다. 말해야 하는 수는 무엇일까요?

식 : 18 - 7 - 9 = 2   답 :   2

① 소현이는 6과 8을 뽑았습니다. 말해야 하는 수는 무엇일까요?

식 : _____   답 : _____

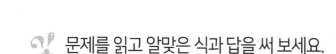 문제를 읽고 알맞은 식과 답을 써 보세요.

① 색종이가 17장이 있었는데 그 중 6장으로는 종이 상자를 접고 5장은 개구리를 접었습니다. 남아 있는 색종이는 몇 장일까요?

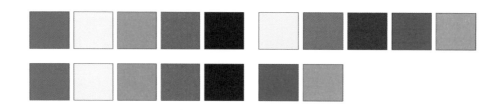

식 : _____   답 : _____ 장

② 책상 위에 100원짜리 동전 14개가 있었는데 동생이 6개를 가져가고 어머니가 7개를 가지고 가셨습니다. 책상에 남아 있는 동전은 몇 개일까요?

식 : _____   답 : _____ 개

💡 문제를 읽고 알맞은 식과 답을 써 보세요.

① 정현이는 집에서 공깃돌 14개를 가져왔는데 친구 두 명에게 각각 5개와 3개를 나누어 주었습니다. 정현이에게 남은 공깃돌은 몇 개일까요?

식 : _____   답 : _____ 개

② 체린이는 일요일까지 15명의 친구들에게 편지를 쓰려고 계획을 세웠습니다. 금요일에 7명, 토요일에 4명에게 썼다면 일요일에는 몇 명의 친구들에게 편지를 더 써야 할까요?

식 : _____   답 : _____ 명

③ 냉장고에 요구르트 12개가 있었는데 아버지께 3개, 동생에게 4개를 꺼내 주었습니다. 냉장고에 남은 요구르트는 몇 개일까요?

식 : _____   답 : _____ 개

🐦 문제를 읽고 알맞은 식과 답을 써 보세요.

① 비둘기가 11마리가 있었는데 2마리가 날아가 버리고 잠시 후 6마리의 비둘기가 더 날아갔습니다. 남아 있는 비둘기는 몇 마리일까요?

식 : _____   답 : _____ 마리

② 버스에 18명이 있었는데 정류장에서 5명이 내리고 다음 정류장에서 8명이 더 내렸습니다. 버스에 남아 있는 사람은 몇 명일까요?

식 : _____   답 : _____ 명

③ 체육 시간에 16명의 학생들이 운동장에서 축구를 하고 있었습니다. 쉬는 시간이 되어 5명의 학생들은 물을 먹으러 가고 4명의 학생들은 교실로 들어갔습니다. 운동장에 남은 학생은 몇 명일까요?

식 : _____   답 : _____ 명

• **3**주차 •
세 수의 덧셈과 뺄셈

세 수의 덧셈, 뺄셈을 공부합니다. 차례로 계산하는 기본을 충실하게 연습하고, 계산 결과에 맞게 더하기, 빼기 기호나 수를 넣는 목표수 만들기 사고력 연산을 포함하고 있습니다. 수에 따라 순서를 바꾸어 계산하는 것은 5주차에 별도로 공부합니다.

빼고 더하기

🐌 □에 알맞은 수를 써넣으세요.

①

$$12 - 7 + 6 = \boxed{}$$

②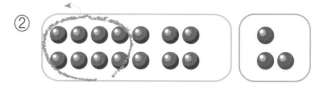

$$14 - 8 + 3 = \boxed{}$$

③

$$11 - 4 + 5 = \boxed{}$$

④

$$16 - 6 + 3 = \boxed{}$$

⑤

$$13 - 4 + 2 = \boxed{}$$

⑥

$$14 - 3 + 5 = \boxed{}$$

⑦

$$12 - 4 + 5 = \boxed{}$$

⑧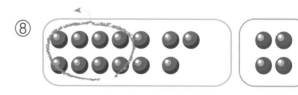

$$13 - 8 + 4 = \boxed{}$$

✏️ 계산해 보세요.

① $13 - 4 + 2 =$

② $11 - 8 + 9 =$

③ $15 - 8 + 6 =$

④ $14 - 5 + 2 =$

⑤ $12 - 8 + 5 =$

⑥ $11 - 2 + 6 =$

⑦ $15 - 9 + 7 =$

⑧ $14 - 5 + 3 =$

⑨ $15 - 7 + 1 =$

⑩ $12 - 3 + 5 =$

⑪ $11 - 3 + 9 =$

⑫ $12 - 5 + 8 =$

⑬ $16 - 6 + 3 =$

⑭ $18 - 9 + 8 =$

⑮ $12 - 4 + 6 =$

⑯ $14 - 7 + 4 =$

더하고 빼기

□ 에 알맞은 수를 써넣으세요.

①

$$12 + 5 - 8 = \boxed{}$$

②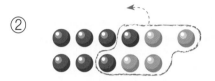

$$7 + 4 - 6 = \boxed{}$$

③

$$11 + 4 - 9 = \boxed{}$$

④

$$8 + 6 - 3 = \boxed{}$$

⑤

$$4 + 7 - 3 = \boxed{}$$

⑥

$$14 + 4 - 6 = \boxed{}$$

⑦

$$9 + 2 - 8 = \boxed{}$$

⑧

$$5 + 8 - 7 = \boxed{}$$

계산해 보세요.

① $4 + 8 - 5 =$

② $3 + 9 - 6 =$

③ $11 + 6 - 8 =$

④ $8 + 9 - 5 =$

⑤ $7 + 7 - 2 =$

⑥ $15 + 2 - 9 =$

⑦ $3 + 7 - 4 =$

⑧ $11 + 4 - 8 =$

⑨ $13 + 7 - 5 =$

⑩ $8 + 5 - 4 =$

⑪ $9 + 5 - 8 =$

⑫ $12 + 2 - 7 =$

⑬ $12 + 6 - 8 =$

⑭ $7 + 6 - 8 =$

⑮ $3 + 9 - 7 =$

⑯ $5 + 8 - 6 =$

안의 수는 엘리베이터가 서 있는 층을 나타내고, ↓○ 는 엘리베이터가 내려간 층의 수를, ↑○ 는 엘리베이터가 올라간 층의 수를 나타냅니다. □에 엘리베이터가 서 있는 층의 수를 써넣으세요.

13 ↓6 ↑8 15

13 − 6 + 8 = 15

① 6 ↑9 ↓5 □

② 12 ↑4 ↓7 □

③ 15 ↓8 ↑6 □

④ 9 ↓3 ↑5 □

⑤ 14 ↑3 ↓9 □

⑥ 6 ↑8 ↓6 □

⑦ 11 ↓4 ↑7 □

⑧ 12 ↓6 ↑9 □

⑨ 15 ↑2 ↓8 □

⑩ 8 ↑4 ↓3 □

⑪ 16 ↓9 ↑7 □

사다리셈

💡 사다리를 타면서 계산하여 빈 곳에 알맞은 수를 써넣으세요.

① 12   14   11

−5

+6

−7

② 13   6   9

+7

−6

+3

③ 8   15   12

−9

+2

+6

④ 5   7   17

+8

−5

−9

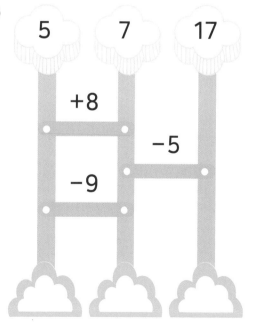

사다리를 타면서 계산하여 빈 곳에 알맞은 수를 써넣으세요.

①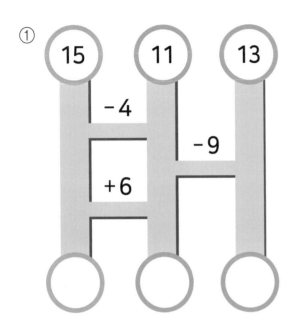

②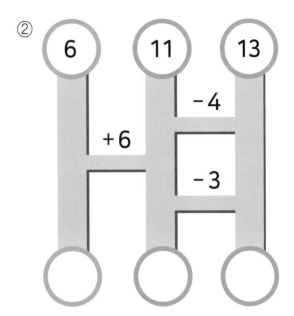

③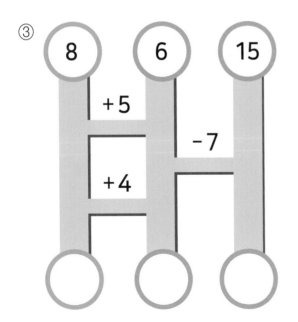

④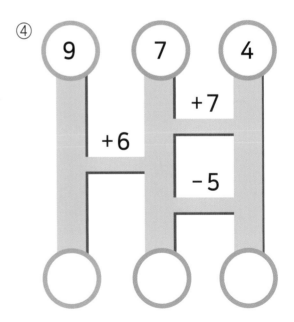

계산 결과를 이어서 사다리셈을 완성해 보세요.

① 13
－ 6
[ ]
＋ 5
[ ]

② 7
＋ 4
[ ]
－ 6
[ ]

③ 16
－ 9
[ ]
＋ 7
[ ]

④ 12
－ 5
[ ]
＋ 3
[ ]

⑤ 6
＋ 9
[ ]
－ 7
[ ]

⑥ 7
＋ 8
[ ]
－ 9
[ ]

월   일

○ 에 +, − 를 한 개씩 써넣어 식을 완성하세요.

① 8 ○ 5 ○ 7 = 10

② 12 ○ 2 ○ 8 = 6

③ 9 ○ 3 ○ 2 = 8

④ 7 ○ 1 ○ 3 = 5

⑤ 6 ○ 9 ○ 7 = 8

⑥ 13 ○ 6 ○ 4 = 11

⑦ 11 ○ 6 ○ 8 = 9

⑧ 9 ○ 8 ○ 4 = 13

⑨ 15 ○ 3 ○ 4 = 16

⑩ 13 ○ 2 ○ 8 = 19

⑪ 13 ○ 5 ○ 9 = 9

⑫ 9 ○ 2 ○ 8 = 15

⑬ 6 ○ 8 ○ 7 = 7

⑭ 14 ○ 1 ○ 9 = 6

□와 같은 색의 숫자 카드 중 하나를 골라 식을 완성하세요.

①
| 7 | 5 | 1 | 6 |

12 – ☐ + ☐ = 8

②
| 8 | 6 | 3 | 4 |

14 – ☐ + ☐ = 9

③
| 5 | 7 | 4 | 3 |

8 – ☐ + ☐ = 7

④
| 7 | 5 | 6 | 2 |

6 + ☐ – ☐ = 9

⑤
| 9 | 8 | 1 | 3 |

15 – ☐ + ☐ = 8

⑥
| 9 | 6 | 4 | 3 |

13 – ☐ + ☐ = 7

⑦
| 5 | 7 | 3 | 6 |

5 + ☐ – ☐ = 6

⑧
| 3 | 5 | 5 | 8 |

9 + ☐ – ☐ = 7

□와 같은 색의 숫자 카드 중 하나를 골라 식을 완성하세요.

① 5 1   8 2

$$12 + \boxed{} - \boxed{} = 5$$

② 3 5   7 4

$$11 - \boxed{} + \boxed{} = 12$$

③ 5 7   7 8

$$12 - \boxed{} + \boxed{} = 14$$

④ 7 8   9 6

$$8 + \boxed{} - \boxed{} = 9$$

⑤ 9 8   6 4

$$15 - \boxed{} + \boxed{} = 11$$

⑥ 6 7   7 8

$$9 + \boxed{} - \boxed{} = 9$$

⑦ 7 8   6 9

$$6 + \boxed{} - \boxed{} = 7$$

⑧ 5 7   6 9

$$14 - \boxed{} + \boxed{} = 16$$

문장제

글과 그림을 보고 질문에 알맞은 식을 세우고 답을 구하세요.

안이 보이지 않는 상자에 흰색 바둑알 6개와 검은색 바둑알 9개를 넣었습니다.

⭐ 상자에서 바둑알 8개를 꺼냈다면 상자 안에 남은 바둑알은 몇 개일까요?

식 : 6 + 9 - 8 = 7   답 :   7   개

① 다른 빈 상자에 흰색 바둑알 13개를 넣은 다음 바로 6개를 뺐다가 다시 검은색 바둑알 9개를 넣었습니다. 상자 안에 남은 바둑알은 몇 개일까요?

식 : _____   답 : _____ 개

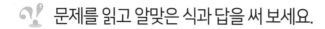 문제를 읽고 알맞은 식과 답을 써 보세요.

① 체육관에 농구공 6개와 배구공 8개가 있었는데 다음날 9개가 없어졌습니다. 남은 공
은 모두 몇 개일까요?

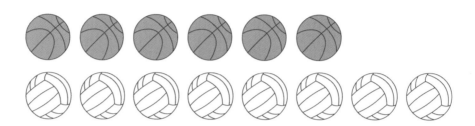

식 : _____   답 : _____ 개

② 냉장고에 달걀 14개가 있었는데 어머니께서 저녁 식사에 8개를 사용한 다음 6개의 달
걀을 더 사다 넣으셨습니다. 냉장고에 남은 달걀은 몇 개일까요?

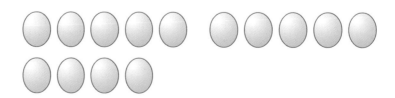

식 : _____   답 : _____ 개

🔔 문제를 읽고 알맞은 식과 답을 써 보세요.

① 주차장에 6대의 차가 주차되어 있었는데 잠시 후 5대의 차가 들어오고 9대의 차가 주차장을 나갔습니다. 주차장에 남아 있는 차는 몇 대일까요?

식 : _____   답 : _____ 대

② 민수는 연필 8자루를 가지고 있었는데 친구에게 연필 4자루를 받고 9자루의 연필을 친구들에게 나누어 주었습니다. 민수에게 남은 연필은 몇 자루일까요?

식 : _____   답 : _____ 자루

③ 철희와 아버지는 낚시를 하러 가서 각각 물고기 3마리와 9마리를 잡았는데 7마리를 풀어 주었습니다. 남아 있는 물고기는 몇 마리일까요?

식 : _____   답 : _____ 마리

문제를 읽고 알맞은 식과 답을 써 보세요.

① 색종이가 15장이 있었는데 이 중 6장으로 종이학을 접고 나서 친구에게 3장의 색종이를 받았습니다. 남은 색종이는 몇 장일까요?

식 : _____   답 : _____ 장

② 버스에 9명의 사람이 타고 있었는데 정류장에서 7명이 내리고 8명이 탔습니다. 버스에 남은 사람은 몇 명일까요?

식 : _____   답 : _____ 명

③ 놀이터에서 12명이 놀고 있다가 6명이 집으로 들어간 다음 새로운 친구 9명이 놀이터에 왔습니다. 놀이터에 있는 사람은 몇 명일까요?

식 : _____   답 : _____ 명

4주차

도전! 계산왕

세 수의 덧셈과 뺄셈

계산해 보세요.

① $7 + 6 + 6 =$

② $8 + 5 - 6 =$

③ $13 - 3 + 8 =$

④ $16 - 9 - 6 =$

⑤ $1 + 7 + 9 =$

⑥ $8 + 4 - 4 =$

⑦ $18 - 9 + 4 =$

⑧ $15 - 8 - 4 =$

⑨ $3 + 6 + 4 =$

⑩ $7 + 6 - 4 =$

⑪ $12 - 2 + 6 =$

⑫ $12 - 2 - 4 =$

⑬ $3 + 7 + 5 =$

⑭ $2 + 9 - 9 =$

⑮ $17 - 9 + 4 =$

⑯ $19 - 3 - 9 =$

⑰ $7 + 4 + 6 =$

⑱ $2 + 9 - 6 =$

⑲ $11 - 5 + 6 =$

⑳ $14 - 7 - 2 =$

㉑ $8 + 7 + 2 =$

㉒ $16 - 6 + 8 =$

㉓ $11 - 2 - 8 =$

㉔ $5 + 1 + 7 =$

1일 ❷

세 수의 덧셈과 뺄셈

계산해 보세요.

① $6+9+3=$

② $3+8-8=$

③ $16-6+9=$

④ $19-2-8=$

⑤ $6+2+8=$

⑥ $7+6-9=$

⑦ $13-9+3=$

⑧ $14-2-5=$

⑨ $7+5+4=$

⑩ $3+9-5=$

⑪ $17-9+7=$

⑫ $19-8-8=$

⑬ $7+1+6=$

⑭ $8+4-2=$

⑮ $14-4+5=$

⑯ $16-3-9=$

⑰ $1+4+7=$

⑱ $3+8-3=$

⑲ $14-6+9=$

⑳ $17-6-9=$

㉑ $4+1+7=$

㉒ $13-4+7=$

㉓ $19-5-6=$

㉔ $5+7+4=$

세 수의 덧셈과 뺄셈

💡 계산해 보세요.

① $5+6+8 =$

② $6+8-4 =$

③ $15-6+6 =$

④ $11-9-2 =$

⑤ $9+4+1 =$

⑥ $2+9-7 =$

⑦ $11-8+5 =$

⑧ $12-7-4 =$

⑨ $2+1+8 =$

⑩ $8+7-6 =$

⑪ $11-5+3 =$

⑫ $16-4-8 =$

⑬ $9+8+1 =$

⑭ $5+9-8 =$

⑮ $16-9+6 =$

⑯ $18-7-6 =$

⑰ $3+7+2 =$

⑱ $5+9-7 =$

⑲ $12-3+4 =$

⑳ $17-5-7 =$

㉑ $4+4+8 =$

㉒ $17-8+9 =$

㉓ $16-3-4 =$

㉔ $9+8+2 =$

2일 ❷

세 수의 덧셈과 뺄셈

💡 계산해 보세요.

① $2+7+3=$

② $9+2-1=$

③ $12-4+7=$

④ $14-3-5=$

⑤ $6+9+2=$

⑥ $9+2-3=$

⑦ $11-8+3=$

⑧ $14-2-3=$

⑨ $5+2+6=$

⑩ $4+7-1=$

⑪ $17-8+1=$

⑫ $19-4-6=$

⑬ $5+3+3=$

⑭ $5+6-6=$

⑮ $13-4+7=$

⑯ $17-5-8=$

⑰ $8+8+3=$

⑱ $9+6-5=$

⑲ $17-9+8=$

⑳ $13-3-6=$

㉑ $9+2+5=$

㉒ $15-8+2=$

㉓ $14-6-7=$

㉔ $7+6+5=$

세 수의 덧셈과 뺄셈

💡 계산해 보세요.

① $1 + 9 + 1 =$

② $8 + 4 - 2 =$

③ $13 - 6 + 7 =$

④ $18 - 3 - 7 =$

⑤ $6 + 8 + 5 =$

⑥ $9 + 2 - 2 =$

⑦ $17 - 8 + 2 =$

⑧ $14 - 4 - 5 =$

⑨ $3 + 2 + 8 =$

⑩ $9 + 4 - 4 =$

⑪ $11 - 3 + 9 =$

⑫ $12 - 3 - 7 =$

⑬ $5 + 5 + 4 =$

⑭ $8 + 9 - 9 =$

⑮ $16 - 6 + 2 =$

⑯ $12 - 2 - 2 =$

⑰ $8 + 4 + 1 =$

⑱ $6 + 5 - 8 =$

⑲ $17 - 7 + 6 =$

⑳ $18 - 2 - 9 =$

㉑ $7 + 6 + 4 =$

㉒ $11 - 6 + 3 =$

㉓ $11 - 6 - 4 =$

㉔ $9 + 4 + 3 =$

세 수의 덧셈과 뺄셈

🖐 계산해 보세요.

① 4 + 4 + 6 =　　　　② 9 + 6 - 7 =　　　　③ 17 - 9 + 6 =

④ 18 - 9 - 5 =　　　　⑤ 2 + 8 + 5 =　　　　⑥ 9 + 8 - 9 =

⑦ 12 - 7 + 2 =　　　　⑧ 17 - 3 - 6 =　　　　⑨ 4 + 6 + 8 =

⑩ 7 + 6 - 6 =　　　　⑪ 16 - 7 + 6 =　　　　⑫ 14 - 3 - 2 =

⑬ 6 + 4 + 3 =　　　　⑭ 4 + 9 - 3 =　　　　⑮ 11 - 9 + 6 =

⑯ 14 - 4 - 4 =　　　　⑰ 2 + 7 + 4 =　　　　⑱ 7 + 7 - 5 =

⑲ 12 - 3 + 7 =　　　　⑳ 16 - 6 - 2 =　　　　㉑ 6 + 2 + 9 =

㉒ 11 - 3 + 2 =　　　　㉓ 19 - 9 - 5 =　　　　㉔ 3 + 5 + 5 =

4일 ❶

세 수의 덧셈과 뺄셈

💡 계산해 보세요.

① 2 + 5 + 5 =

② 5 + 7 - 3 =

③ 15 - 8 + 4 =

④ 12 - 6 - 2 =

⑤ 6 + 8 + 4 =

⑥ 6 + 6 - 7 =

⑦ 12 - 8 + 9 =

⑧ 14 - 3 - 9 =

⑨ 8 + 8 + 3 =

⑩ 8 + 6 - 6 =

⑪ 12 - 2 + 1 =

⑫ 15 - 9 - 3 =

⑬ 9 + 4 + 4 =

⑭ 3 + 8 - 3 =

⑮ 14 - 7 + 2 =

⑯ 13 - 6 - 6 =

⑰ 3 + 8 + 7 =

⑱ 6 + 8 - 5 =

⑲ 11 - 5 + 4 =

⑳ 19 - 2 - 9 =

㉑ 6 + 6 + 1 =

㉒ 17 - 9 + 5 =

㉓ 18 - 7 - 2 =

㉔ 1 + 5 + 5 =

4일 ❷

세 수의 덧셈과 뺄셈

💡 계산해 보세요.

① 7 + 2 + 8 =

② 5 + 7 − 9 =

③ 13 − 9 + 4 =

④ 11 − 7 − 3 =

⑤ 7 + 4 + 6 =

⑥ 9 + 2 − 8 =

⑦ 13 − 7 + 6 =

⑧ 19 − 6 − 9 =

⑨ 9 + 9 + 1 =

⑩ 9 + 3 − 5 =

⑪ 16 − 8 + 4 =

⑫ 11 − 7 − 1 =

⑬ 3 + 8 + 5 =

⑭ 4 + 7 − 2 =

⑮ 14 − 8 + 5 =

⑯ 14 − 5 − 6 =

⑰ 3 + 1 + 9 =

⑱ 2 + 9 − 4 =

⑲ 12 − 7 + 4 =

⑳ 11 − 2 − 3 =

㉑ 5 + 2 + 8 =

㉒ 16 − 7 + 2 =

㉓ 15 − 8 − 2 =

㉔ 9 + 4 + 1 =

5일 ①

세 수의 덧셈과 뺄셈

계산해 보세요.

① $3 + 8 + 7 =$

② $7 + 6 - 7 =$

③ $18 - 9 + 3 =$

④ $13 - 2 - 9 =$

⑤ $4 + 2 + 9 =$

⑥ $6 + 7 - 3 =$

⑦ $12 - 4 + 8 =$

⑧ $17 - 4 - 5 =$

⑨ $9 + 8 + 1 =$

⑩ $9 + 6 - 9 =$

⑪ $13 - 3 + 6 =$

⑫ $16 - 9 - 5 =$

⑬ $6 + 2 + 4 =$

⑭ $6 + 5 - 2 =$

⑮ $13 - 3 + 7 =$

⑯ $12 - 4 - 2 =$

⑰ $6 + 2 + 9 =$

⑱ $3 + 8 - 1 =$

⑲ $11 - 4 + 3 =$

⑳ $16 - 7 - 9 =$

㉑ $6 + 1 + 7 =$

㉒ $11 - 6 + 2 =$

㉓ $15 - 5 - 9 =$

㉔ $5 + 5 + 1 =$

5일 ❷ 세 수의 덧셈과 뺄셈

🎵 계산해 보세요.

① $8 + 5 + 6 =$

② $2 + 9 - 4 =$

③ $17 - 9 + 3 =$

④ $19 - 2 - 8 =$

⑤ $8 + 2 + 8 =$

⑥ $4 + 8 - 3 =$

⑦ $18 - 9 + 8 =$

⑧ $12 - 9 - 3 =$

⑨ $7 + 6 + 1 =$

⑩ $5 + 8 - 9 =$

⑪ $17 - 8 + 3 =$

⑫ $19 - 8 - 4 =$

⑬ $8 + 2 + 4 =$

⑭ $4 + 9 - 9 =$

⑮ $15 - 9 + 9 =$

⑯ $13 - 6 - 7 =$

⑰ $8 + 9 + 1 =$

⑱ $8 + 9 - 7 =$

⑲ $15 - 9 + 7 =$

⑳ $14 - 4 - 6 =$

㉑ $9 + 2 + 7 =$

㉒ $16 - 9 + 7 =$

㉓ $15 - 4 - 2 =$

㉔ $9 + 5 + 3 =$

· 5주차 ·
순서 바꾸어 계산하기

1, 2, 3주차에서 세 수의 덧셈, 뺄셈 모두 순서대로 계산하는 기본적인 부분을 공부했습니다. 5주차에서는 10을 만들어 계산하면 계산이 좀 더 쉬워진다는 점을 이용하여 순서를 바꾸어 계산하는 것을 공부합니다.

더해서 몇십 만들기

🎵 두 수를 더해서 몇십이 되는 수를 찾아 먼저 계산해 보세요.

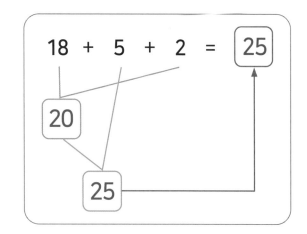

$18 + 5 + 2 = \boxed{25}$

$\boxed{20}$

$\boxed{25}$

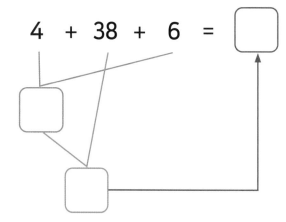

$4 + 38 + 6 = \boxed{}$

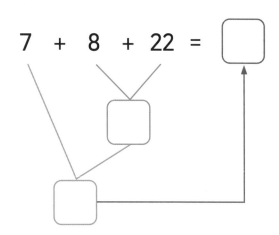

$7 + 8 + 22 = \boxed{}$

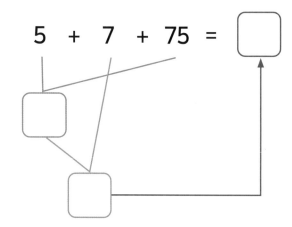

$5 + 7 + 75 = \boxed{}$

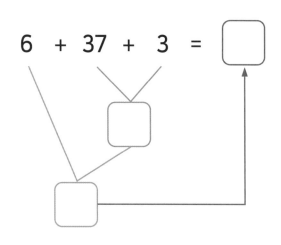

$6 + 37 + 3 = \boxed{}$

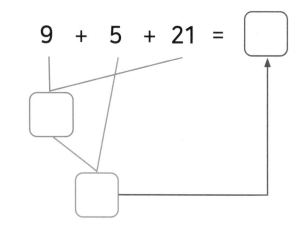

$9 + 5 + 21 = \boxed{}$

계산해 보세요.

① $6 + 25 + 4 =$
　　10

② $3 + 17 + 6 =$

③ $2 + 6 + 58 =$

④ $2 + 33 + 7 =$

⑤ $8 + 44 + 6 =$

⑥ $3 + 16 + 7 =$

⑦ $11 + 3 + 9 =$

⑧ $12 + 8 + 1 =$

⑨ $6 + 54 + 7 =$

⑩ $6 + 19 + 1 =$

⑪ $8 + 35 + 5 =$

⑫ $16 + 7 + 4 =$

⑬ $2 + 58 + 9 =$

⑭ $5 + 22 + 8 =$

⑮ $14 + 7 + 6 =$

⑯ $7 + 33 + 5 =$

○의 합을 △에 써넣으세요.

①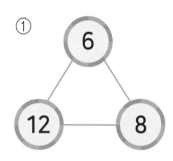
6
12   8

②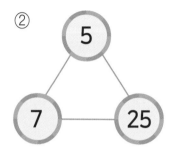
5
7   25

③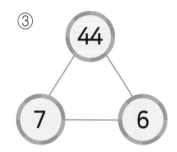
44
7   6

④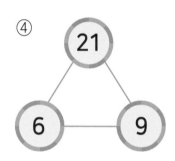
21
6   9

⑤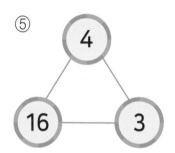
4
16   3

⑥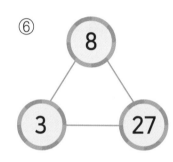
8
3   27

⑦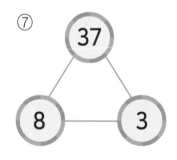
37
8   3

⑧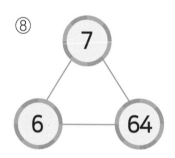
7
6   64

⑨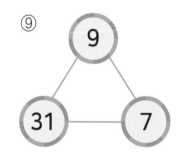
9
31   7

⑩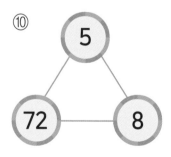
5
72   8

⑪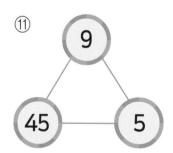
9
45   5

⑫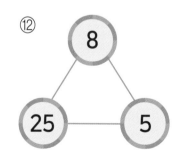
8
25   5

빼어서 몇십 만들기

두 수를 빼어서 몇십이 되는 수를 찾아 먼저 계산해 보세요.

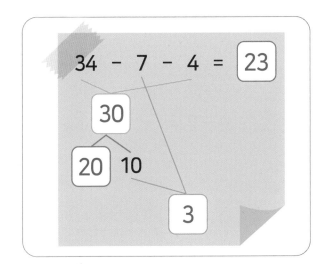

$$34 - 7 - 4 = \boxed{23}$$

30

20   10

3

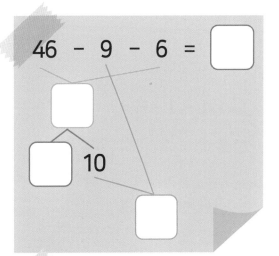

$$46 - 9 - 6 = \boxed{}$$

10

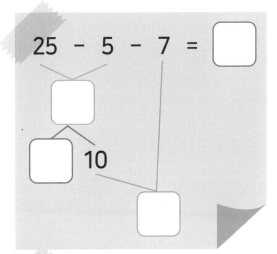

$$25 - 5 - 7 = \boxed{}$$

10

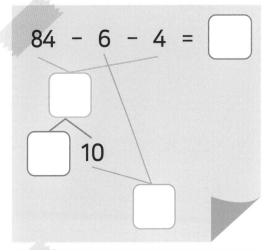

$$84 - 6 - 4 = \boxed{}$$

10

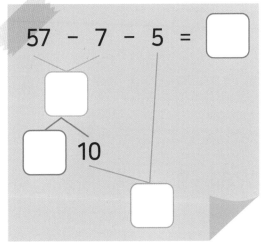

$$57 - 7 - 5 = \boxed{}$$

10

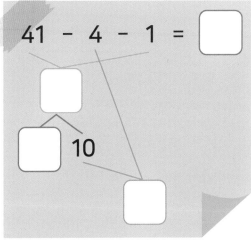

$$41 - 4 - 1 = \boxed{}$$

10

① $43 - 8 - 3 =$

② $55 - 5 - 8 =$

③ $61 - 1 - 6 =$

④ $32 - 9 - 2 =$

⑤ $14 - 2 - 4 =$

⑥ $69 - 9 - 3 =$

⑦ $37 - 8 - 7 =$

⑧ $11 - 1 - 7 =$

⑨ $34 - 4 - 7 =$

⑩ $87 - 5 - 7 =$

⑪ $39 - 9 - 8 =$

⑫ $21 - 1 - 9 =$

⑬ $35 - 3 - 5 =$

⑭ $13 - 5 - 3 =$

⑮ $45 - 5 - 7 =$

⑯ $64 - 9 - 4 =$

안의 수는 엘리베이터가 서 있는 층을 나타내고, ↓◯ 는 엘리베이터가 내려간 층의 수를, ↑◯ 는 엘리베이터가 올라간 층의 수를 나타냅니다. ☐에 엘리베이터가 서 있는 층의 수를 써넣으세요.

① 13 ↓6 ↓3 ☐
      10

② 27 ↑9 ↓7 ☐

③ 32 ↑4 ↓2 ☐

④ 25 ↓5 ↓6 ☐

⑤ 19 ↓3 ↓9 ☐

⑥ 37 ↑5 ↓7 ☐

⑦ 23 ↑8 ↓3 ☐

⑧ 24 ↓4 ↓7 ☐

⑨ 32 ↓6 ↓2 ☐

⑩ 26 ↑8 ↓6 ☐

⑪ 28 ↑5 ↓8 ☐

⑫ 36 ↓9 ↓6 ☐

한꺼번에 빼기

빼는 두 수를 더해서 한꺼번에 뺄셈을 해 보세요.

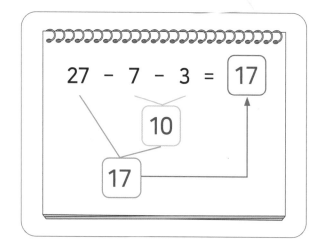

$27 - 7 - 3 = 17$

10

17

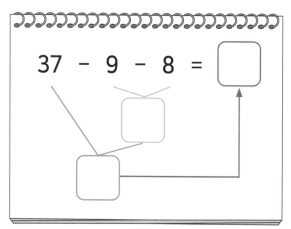

$37 - 9 - 8 = $

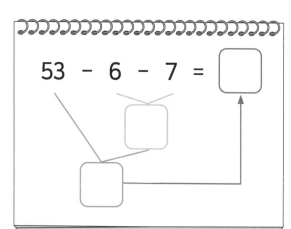

$53 - 6 - 7 = $

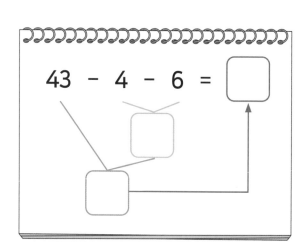

$43 - 4 - 6 = $

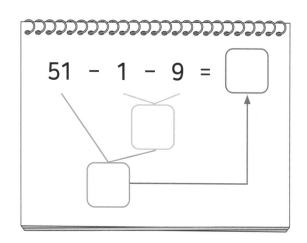

$51 - 1 - 9 = $

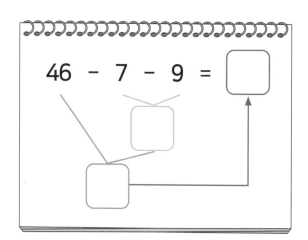

$46 - 7 - 9 = $

계산해 보세요.

① 61 - 2 - 8 =
   ⌣
   10

② 62 - 5 - 7 =

③ 37 - 8 - 9 =

④ 29 - 5 - 5 =

⑤ 53 - 8 - 5 =

⑥ 53 - 7 - 3 =

⑦ 36 - 9 - 1 =

⑧ 71 - 5 - 6 =

⑨ 26 - 7 - 9 =

⑩ 38 - 6 - 4 =

⑪ 35 - 7 - 8 =

⑫ 25 - 3 - 7 =

⑬ 69 - 6 - 4 =

⑭ 82 - 2 - 8 =

⑮ 32 - 7 - 3 =

⑯ 64 - 8 - 6 =

□에 알맞은 수를 써넣으세요.

①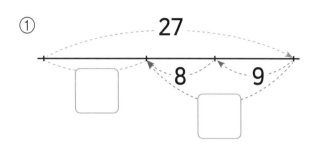

②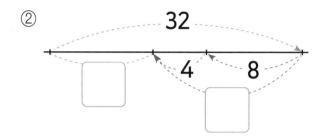

③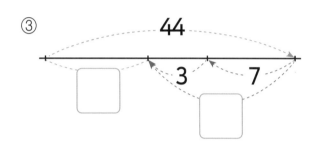

④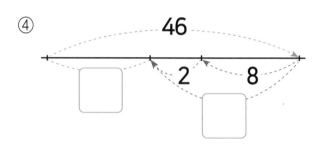

⑤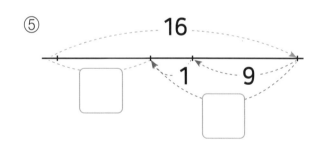

⑥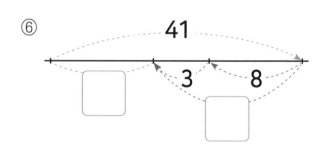

⑦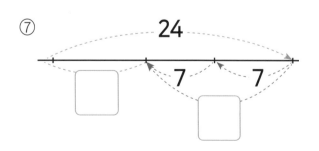

⑧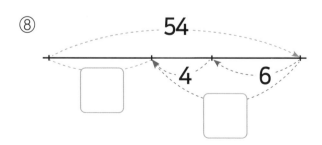

연산 퍼즐

숫자 카드 4장을 골라 식을 완성하세요.

①
| 7 | 4 | 1 | 3 | 8 |

☐ + ☐ = ☐ + ☐

②
| 12 | 6 | 4 | 10 | 9 |

☐ + ☐ = ☐ + ☐

③
| 6 | 9 | 3 | 1 | 7 |

☐ + ☐ = ☐ + ☐

④
| 12 | 9 | 5 | 4 | 11 |

☐ + ☐ = ☐ + ☐

⑤
| 7 | 2 | 8 | 6 | 9 |

☐ + ☐ = ☐ + ☐

⑥
| 5 | 4 | 6 | 11 | 13 |

☐ + ☐ = ☐ + ☐

⑦
| 4 | 7 | 5 | 6 | 1 |

☐ + ☐ = ☐ + ☐

⑧
| 13 | 9 | 8 | 6 | 4 |

☐ + ☐ = ☐ + ☐

연두색은 점수를 더하고, 파란색은 점수를 빼기로 하고 다트 게임을 하였습니다. 다트 3개를 던져 얻은 점수를 보고 다트가 꽂힌 자리에 ✕표 하세요.

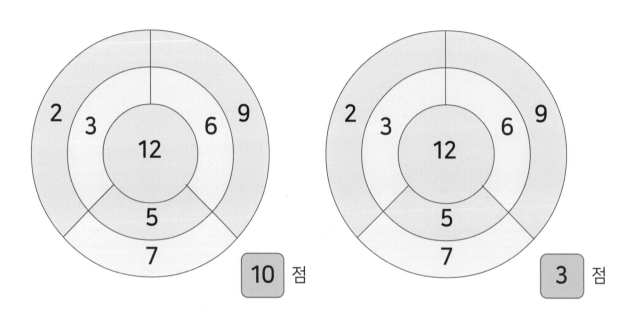

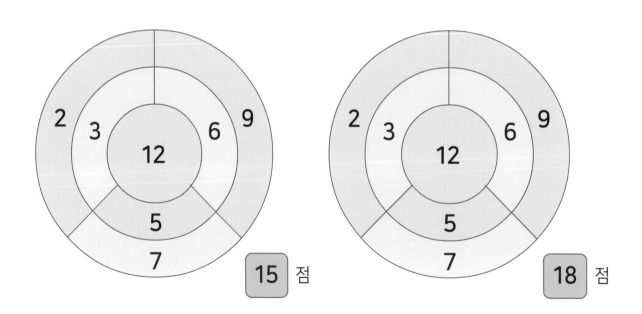

문장제

글과 그림을 보고 질문에 알맞은 식을 세우고 답을 구하세요.

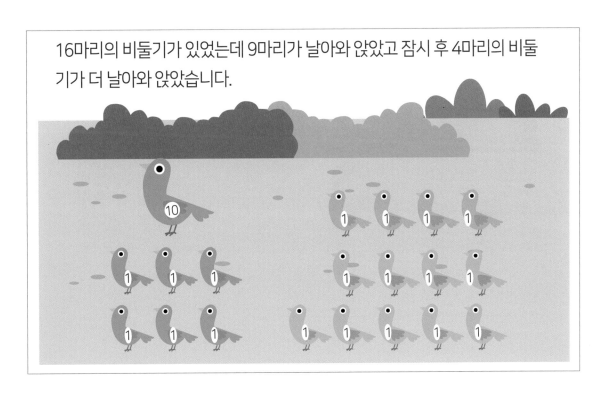

16마리의 비둘기가 있었는데 9마리가 날아와 앉았고 잠시 후 4마리의 비둘기가 더 날아와 앉았습니다.

① 앉아 있는 비둘기는 모두 몇 마리일까요?

식 : _____   답 : _____ 마리

② 잠시 후 비둘기가 더 날아와서 38마리가 되었는데 4마리가 날아가고 몇 분 뒤에 6마리가 더 날아갔습니다. 남아 있는 비둘기는 모두 몇 마리일까요?

식 : _____   답 : _____ 마리

문제를 읽고 알맞은 식과 답을 써 보세요.

① 인혁, 다현, 예지가 고리 던지기를 하는데 각각 13개, 4개, 7개의 고리를 성공시켰습니다. 세 사람이 성공시킨 고리는 모두 몇 개일까요?

식 : _____   답 : _____ 개

② 민수는 아파트 12층에 삽니다. 수영이가 민수보다 7층 밑에 살고, 하영이는 수영이보다 2층 더 밑에 살 때, 하영이는 아파트 몇 층에 살고 있을까요?

식 : _____   답 : _____ 층

문제를 읽고 알맞은 식과 답을 써 보세요.

① 민섭이는 제기를 세 번 찼는데 첫 번째는 29개, 두 번째는 6개, 세 번째는 1개를 찼습니다. 세 번을 합쳐 모두 몇 개의 제기를 찼을까요?

식 : _____   답 : _____ 개

② 성호는 3일간 책을 읽었는데 첫째 날에는 4쪽, 둘째 날에는 57쪽, 셋째 날에는 3쪽의 책을 읽었습니다. 성호가 읽은 책은 모두 몇 쪽일까요?

식 : _____   답 : _____ 쪽

③ 어머니께서 시장에서 사과 4개, 배 7개, 딸기 33개를 사 오셨습니다. 어머니께서 사 오신 과일은 모두 몇 개일까요?

식 : _____   답 : _____ 개

👆 문제를 읽고 알맞은 식과 답을 써 보세요.

① 상희는 파란색 풍선 39개를 가지고 있었는데 친구 2명에게 각각 8개와 9개의 풍선을 주었습니다. 상희가 가지고 있는 풍선은 몇 개일까요?

식 : _____ 답 : _____ 개

② 버스에 28명이 타고 있었는데, 정류장에서 8명이 내리고 다음 정류장에서 2명의 사람이 더 내렸습니다. 버스에 남아 있는 사람은 몇 명일까요?

식 : _____ 답 : _____ 명

③ 아침에 가방 가게에 48개의 가방이 있었는데 오전에 8개, 오후에 7개의 가방이 팔렸습니다. 가방 가게에 남아 있는 가방은 몇 개일까요?

식 : _____ 답 : _____ 개

· **6**주차 ·
도전! 계산왕

1일 **①**

세 수의 덧셈과 뺄셈

🐌 몇십을 만들어 계산해 보세요.

① 6 + 35 + 4 =
　　10

② 45 + 6 + 5 =

③ 7 + 1 + 59 =

④ 35 + 7 + 5 =

⑤ 9 + 24 + 6 =

⑥ 44 + 5 + 6 =

⑦ 84 - 5 - 4 =
　　80

⑧ 12 - 5 - 2 =

⑨ 46 - 3 - 6 =

⑩ 87 - 7 - 5 =

⑪ 94 - 8 - 4 =

⑫ 21 - 6 - 1 =

⑬ 61 - 2 - 8 =
　　　10

⑭ 13 - 5 - 5 =

⑮ 24 - 3 - 7 =

⑯ 64 - 9 - 1 =

⑰ 87 - 4 - 6 =

⑱ 64 - 8 - 2 =

1일 ❷

세 수의 덧셈과 뺄셈

🦉 계산해 보세요.

① $2 + 33 + 8 =$

② $56 + 5 + 4 =$

③ $2 + 16 + 8 =$

④ $42 + 6 + 8 =$

⑤ $7 + 13 + 3 =$

⑥ $36 + 8 + 4 =$

⑦ $35 - 5 - 4 =$

⑧ $55 - 7 - 5 =$

⑨ $84 - 6 - 4 =$

⑩ $36 - 7 - 6 =$

⑪ $21 - 8 - 1 =$

⑫ $16 - 9 - 6 =$

⑬ $88 - 2 - 8 =$

⑭ $64 - 6 - 4 =$

⑮ $15 - 8 - 2 =$

⑯ $26 - 5 - 5 =$

⑰ $92 - 7 - 3 =$

⑱ $17 - 9 - 1 =$

2일 ①

세 수의 덧셈과 뺄셈

💡 몇십을 만들어 계산해 보세요.

① $16 + 2 + 4 =$

　　　20

② $56 + 7 + 4 =$

③ $4 + 6 + 66 =$

④ $2 + 75 + 8 =$

⑤ $65 + 6 + 5 =$

⑥ $3 + 6 + 47 =$

⑦ $56 - 2 - 6 =$

　　　50

⑧ $73 - 8 - 3 =$

⑨ $16 - 6 - 2 =$

⑩ $97 - 8 - 7 =$

⑪ $56 - 4 - 6 =$

⑫ $11 - 2 - 1 =$

⑬ $55 - 4 - 6 =$

　　　　10

⑭ $67 - 5 - 5 =$

⑮ $98 - 7 - 3 =$

⑯ $37 - 9 - 1 =$

⑰ $62 - 8 - 2 =$

⑱ $23 - 6 - 4 =$

세 수의 덧셈과 뺄셈

🎵 계산해 보세요.

① $6 + 25 + 5 =$

② $4 + 16 + 6 =$

③ $8 + 6 + 42 =$

④ $15 + 2 + 8 =$

⑤ $8 + 32 + 9 =$

⑥ $16 + 6 + 4 =$

⑦ $66 - 2 - 6 =$

⑧ $23 - 7 - 3 =$

⑨ $52 - 2 - 4 =$

⑩ $17 - 9 - 7 =$

⑪ $72 - 2 - 9 =$

⑫ $31 - 1 - 8 =$

⑬ $11 - 5 - 5 =$

⑭ $18 - 7 - 3 =$

⑮ $92 - 6 - 4 =$

⑯ $65 - 9 - 1 =$

⑰ $33 - 3 - 7 =$

⑱ $14 - 2 - 8 =$

세 수의 덧셈과 뺄셈

🎵 몇십을 만들어 계산해 보세요.

① $13 + 9 + 7 =$
　　　20

② $15 + 9 + 5 =$

③ $2 + 46 + 4 =$

④ $1 + 26 + 9 =$

⑤ $3 + 54 + 6 =$

⑥ $36 + 8 + 4 =$

⑦ $65 - 2 - 5 =$
　　　60

⑧ $43 - 9 - 3 =$

⑨ $26 - 3 - 6 =$

⑩ $53 - 3 - 5 =$

⑪ $16 - 9 - 6 =$

⑫ $29 - 8 - 9 =$

⑬ $83 - 3 - 7 =$
　　　　10

⑭ $65 - 7 - 3 =$

⑮ $93 - 5 - 5 =$

⑯ $32 - 6 - 4 =$

⑰ $11 - 9 - 1 =$

⑱ $24 - 4 - 6 =$

세 수의 덧셈과 뺄셈

계산해 보세요.

① 6 + 30 + 4 =

② 22 + 6 + 8 =

③ 2 + 16 + 8 =

④ 17 + 7 + 3 =

⑤ 36 + 2 + 4 =

⑥ 7 + 9 + 13 =

⑦ 61 - 5 - 1 =

⑧ 42 - 2 - 3 =

⑨ 92 - 5 - 2 =

⑩ 64 - 4 - 5 =

⑪ 37 - 2 - 7 =

⑫ 59 - 9 - 1 =

⑬ 43 - 6 - 4 =

⑭ 22 - 5 - 5 =

⑮ 47 - 7 - 3 =

⑯ 42 - 6 - 4 =

⑰ 36 - 8 - 2 =

⑱ 72 - 1 - 9 =

세 수의 덧셈과 뺄셈

🐌 몇십을 만들어 계산해 보세요.

① $7 + 22 + 3 =$
　10

② $25 + 6 + 5 =$

③ $2 + 16 + 4 =$

④ $4 + 61 + 9 =$

⑤ $82 + 3 + 8 =$

⑥ $42 + 5 + 8 =$

⑦ $33 - 2 - 3 =$
　30

⑧ $11 - 5 - 1 =$

⑨ $63 - 2 - 3 =$

⑩ $47 - 8 - 7 =$

⑪ $96 - 6 - 5 =$

⑫ $21 - 8 - 1 =$

⑬ $65 - 2 - 8 =$
　　10

⑭ $58 - 1 - 9 =$

⑮ $12 - 6 - 4 =$

⑯ $34 - 4 - 6 =$

⑰ $17 - 3 - 7 =$

⑱ $60 - 5 - 5 =$

세 수의 덧셈과 뺄셈

😀 계산해 보세요.

① 5 + 15 + 5 =

② 2 + 76 + 4 =

③ 12 + 9 + 8 =

④ 43 + 6 + 7 =

⑤ 9 + 14 + 6 =

⑥ 4 + 5 + 55 =

⑦ 13 - 2 - 3 =

⑧ 18 - 5 - 8 =

⑨ 45 - 5 - 4 =

⑩ 68 - 8 - 8 =

⑪ 24 - 9 - 4 =

⑫ 32 - 3 - 2 =

⑬ 44 - 7 - 3 =

⑭ 52 - 5 - 5 =

⑮ 12 - 6 - 4 =

⑯ 51 - 9 - 1 =

⑰ 45 - 3 - 7 =

⑱ 64 - 8 - 2 =

세 수의 덧셈과 뺄셈

공부한 날　월　일
점 수　　/ 18

💡 몇십을 만들어 계산해 보세요.

① $1 + 34 + 9 =$
　　10

② $62 + 6 + 8 =$

③ $2 + 9 + 18 =$

④ $5 + 6 + 35 =$

⑤ $18 + 4 + 2 =$

⑥ $5 + 46 + 5 =$

⑦ $48 - 2 - 8 =$
　　40

⑧ $93 - 9 - 3 =$

⑨ $67 - 2 - 7 =$

⑩ $52 - 5 - 2 =$

⑪ $43 - 3 - 2 =$

⑫ $64 - 1 - 4 =$

⑬ $20 - 6 - 4 =$
　　　10

⑭ $25 - 5 - 5 =$

⑮ $63 - 8 - 2 =$

⑯ $29 - 6 - 4 =$

⑰ $36 - 4 - 6 =$

⑱ $35 - 3 - 7 =$

세 수의 덧셈과 뺄셈

계산해 보세요.

① 9 + 6 + 14 =

② 25 + 5 + 6 =

③ 2 + 9 + 18 =

④ 20 + 6 + 4 =

⑤ 4 + 52 + 6 =

⑥ 35 + 9 + 5 =

⑦ 52 - 2 - 4 =

⑧ 73 - 5 - 3 =

⑨ 39 - 9 - 1 =

⑩ 82 - 8 - 2 =

⑪ 51 - 2 - 1 =

⑫ 43 - 1 - 3 =

⑬ 31 - 2 - 8 =

⑭ 42 - 7 - 3 =

⑮ 92 - 5 - 5 =

⑯ 64 - 9 - 1 =

⑰ 13 - 3 - 7 =

⑱ 44 - 6 - 4 =

1000math.com

홈페이지

· 천종현수학연구소 소개 및 학습 자료 공유
· 출판 교재, 연구소 굿즈 구입

 cafe.naver.com/maths1000

네이버카페

· 다양한 이벤트 및 '천쌤수학학습단' 진행
· 학습 상담 게시판 운영

 https://www.instagram.com/
1000maths

인스타그램

· 수학고민상담소 '천쌤에게 물어보셈' 릴스 보기
· 가장 빠르게 만나는 연구소 소식 및 이벤트

 https://www.youtube.com/
@1000math4U

유튜브

· 인스타 라이브방송 '천쌤에게 물어보셈' 다시 보기
· 고민 상담 사례 및 수학교육 기획 콘텐츠

천종현수학연구소는

유아 초등 수학 교재와 콘텐츠를 꾸준히 개발하고 있습니다. 네이버에 '천종현수학연구소'를 검색하시거나 인스타그램, 유튜브 등 다양한 채널을 통해서도 연산과 사고력 수학, 교과 심화 학습에 대한 노하우와 정보를 다양하게 제공합니다. 지금 바로 만나보세요.

SINCE 2014

천종현수학연구소 출판 교재

01
유아 자신감 수학

썼다 지웠다 붙였다 뗐다
우리 아이의 첫 수학 교재

02
TOP 사고력 수학

실력도 탑! 재미도 탑!
사고력 수학의 으뜸

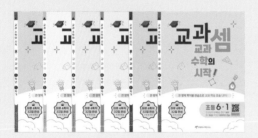

03
교과셈

사칙연산+도형, 측정, 경우의 수까지
반복 학습이 필요한 초등 연산 완성

04
따풀 수학

다양한 개념과 해결 방법을 배우는
배움이 있는 학습지

05
초등 사고력 수학의 원리/전략

진정한 수학 실력은 원리의 이해와 문제 해결 전략에서
재미있게 읽는 17년 초등 사고력 수학의 노하우!!

초등 | 수학 전문가가
만든 **연산 교재**

원리셈

천종현 지음

정답

1학년 5

세 수의 덧셈과 뺄셈

천종현수학연구소

① 16　② 19
③ 19　④ 14
⑤ 15　⑥ 15
⑦ 18　⑧ 17

① 16　② 17
③ 17　④ 12
⑤ 15　⑥ 18
⑦ 16　⑧ 16
⑨ 14　⑩ 18
⑪ 17　⑫ 19
⑬ 18　⑭ 15
⑮ 14　⑯ 18

① 12　② 10
　15　　16
③ 12　④ 3
　16　　12
⑤ 15　⑥ 16
　18　　18
⑦ 12　⑧ 15
　15　　16

① 16　② 18
③ 19　④ 12
⑤ 18　⑥ 17
⑦ 16　⑧ 18
⑨ 15　⑩ 12
⑪ 12　⑫ 17
⑬ 11　⑭ 14
⑮ 16　⑯ 15

① 15　② 10
③ 18　④ 16
⑤ 14　⑥ 14
⑦ 13　⑧ 12
⑨ 16　⑩ 18
⑪ 16　⑫ 15

① 11, 19, 15　② 13, 15, 18
③ 19, 12, 13　④ 16, 9, 19

① 18, 17, 18　② 19, 11, 15
③ 15, 14, 17　④ 19, 19, 16

① 8　② 9　③ 6
　16　　16　　15
④ 12　⑤ 10　⑥ 13
　18　　18　　16

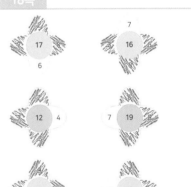

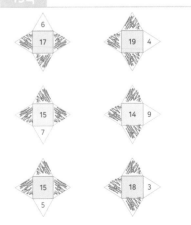

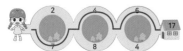

34쪽

① 4, 6 ② 6, 3
③ 8, 5 ④ 3, 3
⑤ 7, 9 ⑥ 6, 1
⑦ 6, 7 ⑧ 5, 6

두 수의 순서는 바뀔 수 있습니다.

35쪽

① 7, 4 ② 5, 4
③ 6, 5 ④ 5, 6
⑤ 2, 4 ⑥ 3, 3
⑦ 6, 3 ⑧ 5, 3

두 수의 순서는 바뀔 수 있습니다.

36쪽

37쪽

① 18-6-8=4, 4

38쪽

① 17-6-5=6, 6
② 14-6-7=1, 1

39쪽

① 14-5-3=6, 6
② 15-7-4=4, 4
③ 12-3-4=5, 5

40쪽

① 11-2-6=3, 3
② 18-5-8=5, 5
③ 16-5-4=7, 7

3주차 - 세 수의 덧셈과 뺄셈

42쪽

① 11 ② 9
③ 12 ④ 13
⑤ 11 ⑥ 16
⑦ 13 ⑧ 9

43쪽

① 11 ② 12
③ 13 ④ 11
⑤ 9   ⑥ 15
⑦ 13 ⑧ 12
⑨ 9   ⑩ 14
⑪ 17 ⑫ 15
⑬ 13 ⑭ 17
⑮ 14 ⑯ 11

44쪽

① 9   ② 5
③ 6   ④ 11
⑤ 8   ⑥ 12
⑦ 3   ⑧ 6

45쪽

① 7   ② 6
③ 9   ④ 12
⑤ 12 ⑥ 8
⑦ 6   ⑧ 7
⑨ 15 ⑩ 9
⑪ 6   ⑫ 7
⑬ 10 ⑭ 5
⑮ 5   ⑯ 7

46쪽

      ① 10
② 9   ③ 13
④ 11 ⑤ 8
⑥ 8   ⑦ 14
⑧ 15 ⑨ 9
⑩ 9   ⑪ 14

47쪽

① 10, 2, 13 ② 10, 16, 10
③ 5, 12, 16 ④ 3, 6, 8

48쪽

① 10, 13, 2 ② 15, 4, 9
③ 12, 15, 6 ④ 17, 9, 10

① 7
  12
② 11
  5
③ 7
  14
④ 7
  10
⑤ 15
  8
⑥ 15
  6

① -, + ② +, -
③ -, + ④ +, -
⑤ +, - ⑥ -, +
⑦ +, - ⑧ +, -
⑨ -, + ⑩ -, +
⑪ +, - ⑫ -, +
⑬ +, - ⑭ +, -

① 5, 1 ② 8, 3
③ 5, 4 ④ 5, 2
⑤ 8, 1 ⑥ 9, 3
⑦ 7, 6 ⑧ 3, 5

① 1, 8 ② 3, 4
③ 5, 7 ④ 7, 6
⑤ 8, 4 ⑥ 7, 7
⑦ 7, 6 ⑧ 7, 9

① 13-6+9=16, 16

① 6+8-9=5, 5
② 14-8+6=12, 12

① 6+5-9=2, 2
② 8+4-9=3, 3
③ 3+9-7=5, 5

① 15-6+3=12, 12
② 9-7+8=10, 10
③ 12-6+9=15, 15

4주차 - 도전! 계산왕

① 19 ② 7   ③ 18
④ 1   ⑤ 17 ⑥ 8
⑦ 13 ⑧ 3   ⑨ 13
⑩ 9   ⑪ 16 ⑫ 6
⑬ 15 ⑭ 2   ⑮ 12
⑯ 7   ⑰ 17 ⑱ 5
⑲ 12 ⑳ 5   ㉑ 17
㉒ 18 ㉓ 1   ㉔ 13

① 18 ② 3   ③ 19
④ 9   ⑤ 16 ⑥ 4
⑦ 7   ⑧ 7   ⑨ 16
⑩ 7   ⑪ 15 ⑫ 3
⑬ 14 ⑭ 10 ⑮ 15
⑯ 4   ⑰ 12 ⑱ 8
⑲ 17 ⑳ 2   ㉑ 12
㉒ 16 ㉓ 8   ㉔ 16

① 19 ② 10 ③ 15
④ 0   ⑤ 14 ⑥ 4
⑦ 8   ⑧ 1   ⑨ 11
⑩ 9   ⑪ 9   ⑫ 4
⑬ 18 ⑭ 6   ⑮ 13
⑯ 5   ⑰ 12 ⑱ 7
⑲ 13 ⑳ 5   ㉑ 16
㉒ 18 ㉓ 9   ㉔ 19

① 12 ② 10 ③ 15
④ 6   ⑤ 17 ⑥ 8
⑦ 6   ⑧ 9   ⑨ 13
⑩ 10 ⑪ 10 ⑫ 9
⑬ 11 ⑭ 5   ⑮ 16
⑯ 4   ⑰ 19 ⑱ 10
⑲ 16 ⑳ 4   ㉑ 16
㉒ 9   ㉓ 1   ㉔ 18

62쪽

① 11 ② 10 ③ 14
④ 8 ⑤ 19 ⑥ 9
⑦ 11 ⑧ 5 ⑨ 13
⑩ 9 ⑪ 17 ⑫ 2
⑬ 14 ⑭ 8 ⑮ 12
⑯ 8 ⑰ 13 ⑱ 3
⑲ 16 ⑳ 7 ㉑ 17
㉒ 8 ㉓ 1 ㉔ 16

63쪽

① 14 ② 8 ③ 14
④ 4 ⑤ 15 ⑥ 8
⑦ 7 ⑧ 8 ⑨ 18
⑩ 7 ⑪ 15 ⑫ 9
⑬ 13 ⑭ 10 ⑮ 8
⑯ 6 ⑰ 13 ⑱ 9
⑲ 16 ⑳ 8 ㉑ 17
㉒ 10 ㉓ 5 ㉔ 13

64쪽

① 12 ② 9 ③ 11
④ 4 ⑤ 18 ⑥ 5
⑦ 13 ⑧ 2 ⑨ 19
⑩ 8 ⑪ 11 ⑫ 3
⑬ 17 ⑭ 8 ⑮ 9
⑯ 1 ⑰ 18 ⑱ 9
⑲ 10 ⑳ 8 ㉑ 13
㉒ 13 ㉓ 9 ㉔ 11

65쪽

① 17 ② 3 ③ 8
④ 1 ⑤ 17 ⑥ 3
⑦ 12 ⑧ 4 ⑨ 19
⑩ 7 ⑪ 12 ⑫ 3
⑬ 16 ⑭ 9 ⑮ 11
⑯ 3 ⑰ 13 ⑱ 7
⑲ 9 ⑳ 6 ㉑ 15
㉒ 11 ㉓ 5 ㉔ 14

66쪽

① 18 ② 6 ③ 12
④ 2 ⑤ 15 ⑥ 10
⑦ 16 ⑧ 8 ⑨ 18
⑩ 6 ⑪ 16 ⑫ 2
⑬ 12 ⑭ 9 ⑮ 17
⑯ 6 ⑰ 17 ⑱ 10
⑲ 10 ⑳ 0 ㉑ 14
㉒ 7 ㉓ 1 ㉔ 11

67쪽

① 19 ② 7 ③ 11
④ 9 ⑤ 18 ⑥ 9
⑦ 17 ⑧ 0 ⑨ 14
⑩ 4 ⑪ 12 ⑫ 7
⑬ 14 ⑭ 4 ⑮ 15
⑯ 0 ⑰ 18 ⑱ 10
⑲ 13 ⑳ 4 ㉑ 18
㉒ 14 ㉓ 9 ㉔ 17

70쪽

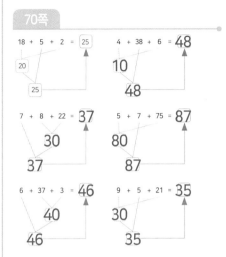

71쪽

① 35 ② 26
③ 66 ④ 42
⑤ 58 ⑥ 26
⑦ 23 ⑧ 21
⑨ 67 ⑩ 26
⑪ 48 ⑫ 27
⑬ 69 ⑭ 35
⑮ 27 ⑯ 45

① 26　② 37　③ 57
④ 36　⑤ 23　⑥ 38
⑦ 48　⑧ 77　⑨ 47
⑩ 85　⑪ 59　⑫ 38

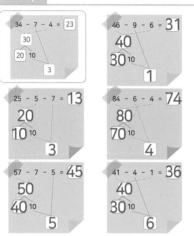

① 32　② 42
③ 54　④ 21
⑤ 8　⑥ 57
⑦ 22　⑧ 3
⑨ 23　⑩ 75
⑪ 22　⑫ 11
⑬ 27　⑭ 5
⑮ 33　⑯ 51

① 4　② 29
③ 34　④ 14
⑤ 7　⑥ 35
⑦ 28　⑧ 13
⑨ 24　⑩ 28
⑪ 25　⑫ 21

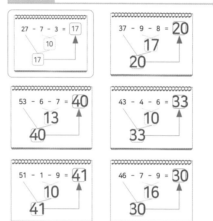

① 51　② 50
③ 20　④ 19
⑤ 40　⑥ 43
⑦ 26　⑧ 60
⑨ 10　⑩ 28
⑪ 20　⑫ 15
⑬ 59　⑭ 72
⑮ 22　⑯ 50

① 10, 17　② 20, 12
③ 34, 10　④ 36, 10
⑤ 6, 10　⑥ 30, 11
⑦ 10, 14　⑧ 44, 10

① 7, 4, 3, 8　② 12, 4, 10, 6
③ 9, 1, 3, 7　④ 12, 4, 11, 5
⑤ 7, 8, 6, 9　⑥ 4, 13, 6, 11
⑦ 4, 7, 5, 6　⑧ 13, 4, 9, 8
덧셈의 순서는 바뀔 수 있습니다.

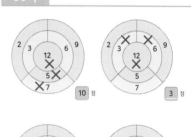
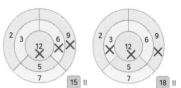

① 16+9+4=29, 29

② 38-4-6=28, 28

① 13+4+7=24, 24

② 12-7-2=3, 3

① 29+6+1=36, 36

② 4+57+3=64, 64

③ 4+7+33=44, 44

① 39-8-9=22, 22

② 28-8-2=18, 18

③ 48-8-7=33, 33

6주차 - 도전! 계산왕

① 45	② 56		
③ 67	④ 47		
⑤ 39	⑥ 55		
⑦ 75	⑧ 5		
⑨ 37	⑩ 75		
⑪ 82	⑫ 14		
⑬ 51	⑭ 3		
⑮ 14	⑯ 54		
⑰ 77	⑱ 54		

① 43	② 65
③ 26	④ 56
⑤ 23	⑥ 48
⑦ 26	⑧ 43
⑨ 74	⑩ 23
⑪ 12	⑫ 1
⑬ 78	⑭ 54
⑮ 5	⑯ 16
⑰ 82	⑱ 7

① 22	② 67
③ 76	④ 85
⑤ 76	⑥ 56
⑦ 48	⑧ 62
⑨ 8	⑩ 82
⑪ 46	⑫ 8
⑬ 45	⑭ 57
⑮ 88	⑯ 27
⑰ 52	⑱ 13

① 36	② 26
③ 56	④ 25
⑤ 49	⑥ 26
⑦ 58	⑧ 13
⑨ 46	⑩ 1
⑪ 61	⑫ 22
⑬ 1	⑭ 8
⑮ 82	⑯ 55
⑰ 23	⑱ 4

① 29 ② 29
③ 52 ④ 36
⑤ 63 ⑥ 48
⑦ 58 ⑧ 31
⑨ 17 ⑩ 45
⑪ 1 ⑫ 12
⑬ 73 ⑭ 55
⑮ 83 ⑯ 22
⑰ 1 ⑱ 14

① 32 ② 36
③ 22 ④ 74
⑤ 93 ⑥ 55
⑦ 28 ⑧ 5
⑨ 58 ⑩ 32
⑪ 85 ⑫ 12
⑬ 55 ⑭ 48
⑮ 2 ⑯ 24
⑰ 7 ⑱ 50

① 44 ② 76
③ 29 ④ 46
⑤ 24 ⑥ 56
⑦ 38 ⑧ 81
⑨ 58 ⑩ 45
⑪ 38 ⑫ 59
⑬ 10 ⑭ 15
⑮ 53 ⑯ 19
⑰ 26 ⑱ 25

① 40 ② 36
③ 26 ④ 27
⑤ 42 ⑥ 29
⑦ 55 ⑧ 37
⑨ 85 ⑩ 55
⑪ 28 ⑫ 49
⑬ 33 ⑭ 12
⑮ 37 ⑯ 32
⑰ 26 ⑱ 62

① 25 ② 82
③ 29 ④ 56
⑤ 29 ⑥ 64
⑦ 8 ⑧ 5
⑨ 36 ⑩ 52
⑪ 11 ⑫ 27
⑬ 34 ⑭ 42
⑮ 2 ⑯ 41
⑰ 35 ⑱ 54

① 29 ② 36
③ 29 ④ 30
⑤ 62 ⑥ 49
⑦ 46 ⑧ 65
⑨ 29 ⑩ 72
⑪ 48 ⑫ 39
⑬ 21 ⑭ 32
⑮ 82 ⑯ 54
⑰ 3 ⑱ 34

초등 원리셈 1학년
5권 세 수의 덧셈과 뺄셈

총괄 테스트

이름 / 점수

01 빈칸에 알맞은 수를 써넣으세요.

$7+6+5 = 18$

02 세 수의 덧셈을 앞에서부터 차례로 계산해 보세요.

$7 + 7 + 5$
14
19

03 계산해 보세요.

① $4+7+8 = 19$ ② $2+8+6 = 16$
③ $9+7+2 = 18$ ④ $3+6+8 = 17$

04 계산해 보세요.

① $5+4+5 = 14$ ② $8+8+2 = 18$
③ $7+6+4 = 17$ ④ $8+7+1 = 16$

05 사다리를 타면서 계산하여 빈 곳에 알맞은 수를 써넣으세요.

6 8 9
+4 +3 +7
16 18 17

06 빈칸에 알맞은 수를 써넣으세요.

$17-5-6 = 6$

07 세 수의 뺄셈을 앞에서부터 차례로 계산해 보세요.

$13 - 7 - 2$
6
4

08 계산해 보세요.

① $16-4-7 = 5$ ② $18-8-5 = 5$
③ $12-3-4 = 5$ ④ $15-8-2 = 5$

09 계산해 보세요.

① $19-6-9 = 4$ ② $11-5-3 = 3$
③ $14-6-2 = 6$ ④ $17-8-8 = 1$

10 민정이는 풍선 13개를 불어 동생에게 5개를 주고, 오빠에게 4개를 주었습니다. 남은 풍선은 몇 개일까요?

식: $13-5-4=4$
답: 4 개

초등 원리셈 1학년 5권

11 빈칸에 알맞은 수를 써넣으세요.

$13-6+2 = 9$

12 계산해 보세요.

① $15-5+6 = 16$ ② $11-9+4 = 6$
③ $12-3+5 = 14$ ④ $16-8+2 = 10$

13 빈칸에 알맞은 수를 써넣으세요.

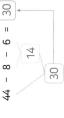

$9+2-6 = 5$

14 계산해 보세요.

① $12+3-9 = 6$ ② $4+6-7 = 3$
③ $5+9-6 = 8$ ④ $6+6-3 = 9$

15 두 수를 더해서 몇십이 되는 수를 찾아 먼저 계산해 보세요.

$7 + 48 + 3 = 58$
10
58

16 계산해 보세요.

① $6+25+5 = 36$ ② $8+31+2 = 41$
③ $4+26+9 = 39$ ④ $9+13+7 = 29$

17 두 수를 빼서 몇십이 되는 수를 찾아 먼저 계산해 보세요.

$65 - 8 - 5 = 52$
60
50 10
2

18 계산해 보세요.

① $52-2-7 = 43$ ② $43-9-3 = 31$
③ $66-7-6 = 53$ ④ $39-9-5 = 25$

19 빼는 두 수를 더해서 한꺼번에 뺄셈을 해 보세요.

$44 - 8 - 6 = 30$
14
30

20 계산해 보세요.

① $71-3-7 = 61$ ② $32-6-6 = 20$
③ $64-9-5 = 50$ ④ $53-6-4 = 43$

원리
이해

다양한
계산 방법

충분한
연습

성취도
확인